KB178219

돈의 흐름을 바꿔라
나만의 금융 해방 가이드

돈의 흐름을 바꿔라 나만의 금융 해방 가이드

발 행 | 2024년 4월 30일

저 자 | 퓨처패러다임

펴낸이 | 한건희

펴낸곳 | 주식회사 부크크

출판사등록 | 2014.07.15(제2014-16호)

주 소 | 서울특별시 금천구 가산디지털1로 119 SK트윈타워 A동 305호

전 화 | 1670-8316

이메일 | info@bookk.co.kr

ISBN | 979-11-410-8316-8

www.bookk.co.kr

돈의 흐름을 바꿔라
나만의 금융 해방 가이드

퓨처패러다임 지음

목 차

프롤로그:

나를 잃어가는 시대, 나 다운 돈 쓰기

돈 관리하는 방법 제대로 알고 싶은데 어떻게 해야 하는 걸까? 경제적 자립하고 싶은데 어떻게 하면 가능하지? 1 억 모으는 방법, 월 1000 만원 수입 만드는 방법, 이런 방식 말고 현재 내 상태에서 바로 시작할 수 있는 돈 관리 방법 없을까? 빚 때문에 힘든데, 돈 때문에 아픈 기억이 있는데, 돈을 좀 잘 다루는 방법 혹시 없을까?

이런 생각 한 번이라도 해보신 분은 이 책이 도움될 겁니다

이미 시중에 수많은 재테크 책이 존재합니다. 하지만 현재 내 상황에 최적화된 '돈 관리 기술'을 제시해 주는 책은 찾아보기 힘듭니다. 대부분 어떻게 해서 1 억 모으기, 어디에 투자해서 얼마 벌기. 이런 종류의 책입니다.

그래서 저는 재테크 정보 말고 지금 상황에서 바로 적용할 수 있는 '돈 관리 기술'에 관하여 책 쓰기로 했습니다. 많은 사람들과 금융상담 하면서 고민했던 '사람들이 겪는 돈 관리 어려움을 보다 쉽게 해결할 수 있게 도와줄 방법 없을까?' '돈 관리에 점점 자신감을 갖게 해줄 방법은 무엇일까?' 연구한 것들을 담아 책을 쓰기로 했습니다.

'경기도 일하는 청년 통장' 금융상담 진행할 때 저는 이런 질문을 많이 받았습니다.

"다른 사람들은 얼마 정도 저축해요?"

"다른 사람들 평균 생활비 얼마 정도 써요?"

"평균 결혼 비용이 얼마 정도 든다는데 어떻게 마련하죠?"

이 글을 읽는 당신도 아마 이런 내용이 궁금할 수 있습니다.

하지만, 위 질문의 공통적이고 심각한 문제점은 내가 빠졌다는 것입니다. 다른 사람들이 어떻게 돈 쓰고 생활하는지는 내 삶에 중요한 것이 아닙니다. 내가 어떤 미래를 꿈꾸며 어떤 방식으로 살고 싶은지가 중요합니다. 결국 다른 사람이 어떻게 사는지 관심 가지고 쫓아가는 사람은 다른 사람의 삶을 살게 됩니다.

나는 내 삶을 살아야 합니다.

다시 한번 강조합니다. 나는 내 삶을 살아야 합니다. 내가 뭘 하고 싶은지, 어디에 관심 있는지, 무엇을 할 때 설레고 좋아하는지, 뭘 잘하는지 그리고 나는 내 시간과 돈을 어떻게 사용하며 살 것인지 관심을 가져야 합니다.

'결국 나 답게 돈 쓰기'가 필요합니다.

아마 여기까지 읽으신 분들은 기존 재테크에 초점 맞춰진 돈 관리 방법과 다른 접근에 약간 당황하실 수 있습니다.

늘 '나는 이렇게 해서 월 1000 만원 번다' '나는 이렇게 해서 1 억 모았다' 이런 문구에 익숙해져서 이런 접근이 생소할 수 있습니다.

돈을 모아야 하는데 돈을 쓰는 것에 관심을 가지라니…

제가 말하고 싶은 것은 이것입니다.

첫 번째는, 나에 대해 알고 내가 행복할 수 있는 인생 설계를 하고 난 다음 내가 생각한 방향과 일치하는 다른 사람의 방법과 노하우를 체득하면 됩니다. 즉, 내 병의 원인을 잘 모르고 엉뚱한 처방을 내리면 내가 원하는 결과 얻기가 힘들다는 것입니다. 왜냐하면 내 감정, 심리, 경험, 신념 등 나를 이루는 다양한 것들이 녹아 내 돈의 의사결정이 이루어지기 때문입니다.

두 번째는, 돈 버는 능력, 돈 관리하는 능력, 돈 쓰는 능력이 다 다르다는 것입니다. 돈을 많이 벌게 되어도 돈을 잘 쓰고 잘 관리하는 건 다른 능력입니다. 수입이 늘어나면 돈 문제는 저절로 해결될 것이라는 생각과 달리 돈 문제가 여전히 따라다니는 경우가 많습니다.

이제 돈 관리의 패러다임을 바꿔야 합니다.

기존 경제학 이론은 인간은 이성적이고 합리적이어서 자신에게 최대한 이로운 결정을 한다는 것입니다. 그래서 공급자는 비싸게 팔고 싶고, 소비자는 싸게 사고 싶은 욕구를 실현하기 위해 시장에서 합리적인 '시장 가격'이 결정된다는 것이었습니다. 즉, '인간은 이성적이고 합리적인 존재'란 전제가 있습니다.

2002 년 대니얼카너먼 교수가 '행동경제학'이론으로 심리학자 최초로 노벨 경제학상을 받은 이후 그런 개념은 구시대적 개념이 되었습니다. 행동 경제학에서 보는 관점은 '인간은 정서나 심리, 환경에 따라 아주 엉뚱한 결정을 한다. 그것도 반복적으로'입니다.

결국 이성과 합리성보다 감정과 심리 상태가 돈에 대한 의사 결정에 더 큰 영향을 미친다는 것입니다.

그래서 제가 제시하고 싶은 방법은 다른 사람과 나는 경험, 생각, 정서, 환경이 다르기 때문에 '나만의 돈 관리 시스템'을 만들자는 것입니다.

저도 한동안 다른 사람들의 소비를 보며 부러워했습니다. 다른 사람들이 돈 버는 방법에 대해 어떻게 하면 나도 저렇게 많이 벌 수 있을까? 생각하며 따라 해보려고도 노력했습니다. 소득을 더 올리는 건 물론 좋은 일입니다. 본인이 능력이 되고 가능하면 그렇게 하는 게 뭐가 문제가 되겠습니까? 다만 내가 어떤 사람인지 모르고 접근하면 나에게 맞지 않는 방법으로 자꾸 엉뚱한 힘을 쓰게 됩니다. 저도 그런 시행착오를 많이 겪었습니다.

그러니 이 책을 읽는 여러분은 시행착오를 줄이고 자신에 대해 정확히 알고 '나는 이런 사람이니 이렇게 접근하면 되겠다' 하는 전략을 가지고 시작해 보세요.

그러면 인생이 훨씬 쉬워질 겁니다.

이제 선택은 당신 몫입니다.

이 시간 이후부터 이 책을 읽어 나가며 제대로 내 인생에 전환점을 만들고 변화하고 싶으신 분은 책에서 제시하는 내용에 따라 행동하면 됩니다. 자기 생각이나 감정이 어떻게 달라지는지 경험할 수 있을 것입니다. 반대로 여기서 책을 덮고 직접 실수를 통해 배우며 많은 시간을 들여 경험을 쌓아가는 방법도 있습니다.

자 이제 돈 관리 방법의 패러다임을 바꾸고 새로운 삶으로 나아가기를 결정했다면 제대로 해봅시다!

이 이후부터는 간결체로 글을 써 나갈 것입니다.

이해해 주길 바랍니다. 실행력 높이는 것에 집중해 주세요!

자 그러면 시작해볼까요?

경제적 빈곤은 문제가 아니다

생각의 빈곤이 문제다

켄 하쿠타

1. 돈 없는 게 문제일까
돈 다루는 방법이 문제일까

당신의 지갑을 노리는 '마케팅 설계'

어떤 사람들은 돈이 없어서 관리할 돈이 없다고 말한다. 또한 수입이 적어 쓸 돈이 없다고 말한다.

뭐 틀린 말은 아니다. 하지만 그렇다고 돈을 쓰지 않고 살고 있나? 어찌 되었든 한 달을 돌아보면 내가 쓴 돈이 있지 않은가? 그렇다. 항상 돈 관리 방법을 떠올릴 때 재테크에 초점을 맞춘다. 돈 관리 방법을 자산 늘리는 것과 연관 지어 생각한다. 그리고 대부분 남은 얼마 버는 데 상대적으로 나는 적게 버니까 쓸 돈이 없다고 생각한다. 그러니 지금 말고 '나중에 목돈 생기면 돈 관리해야지' '수입 늘면 돈 관리해야지' '빚부터 갚고 돈 관리해야지' 하는 생각으로 이어진다. 그래서 당장 쓰는 돈은 관리의 대상으로 생각하지 않는다.

그런데 아니다. 지금 내 수입이 적어도, 빚이 있어도, 돈을 쓰고 있고 그렇기에 나에게 이로운 '돈 관리 방법'을 알아야 한다. 왜 우리는 종종 돈을 쓰고 나서 후회감이 밀려오고 기분이 안 좋을까? 분명 돈 쓸 때는 기분이 좋았다. 그리고 내가 원해서 썼는데 왜 한 달을 돌아보면 뭔가 찝찝하고 기분이 구리구리 할까?

우리 '소비 의사결정'에 영향을 미치는 몇 가지 상황에 대해 살펴보자

혹시 다음 용어들을 들어봤거나 이해하고 있는가?

준거가격 (앵커링 효과)

손실 회피

신용 소비

디드로 효과

언급한 용어를 몰라도 상관없다. 저절로 알게 될 테니까.

일단 상황 설정을 해보자. 효과를 극대화하기 위해 설정에 집중해 주기 바란다!

당신은 직장 상사에게 심한 꾸중을 듣고 기분이 몹시 상했다. 오늘따라 되게 운이 없는 것처럼 느껴진다. 아까 그 직장상사의 얼굴이 떠올라 짜증이 난다.

퇴근 후 집에 바로 가기 싫어 친구에게 전화했는데 친구는 오늘 야근 이란다. 어쩔 수 없이 혼자 '기분 전환이라도 하자' 생각으로 백화점구경 하기로 했다. 백화점 이곳저곳 둘러보는데 뭔가 눈에 들어왔다. 양가죽 재킷이었다. 평소 가죽 재킷을 즐겨 입지는 않는다. 남들이 입는 거 보니 뭐 하나 정도 있으면 좋겠다고 생각 해 본 적은 있다.

점원이 친절한 표정과 말투로 안내해 준다. 할인이라고 하는데 저 가격이 싼지 비싼지 잘 모르겠다. 어떤가? 당신은 지금 구매하고 싶은 마음이 드는가?

뭐 잘 모르겠다면 당신의 판단을 도와줄 다음 그림을 하나 더 보자.

원래 이 양가죽 재킷 소비자 판매가가 2,100,000원 이라는 것을

점원이 가격표를 보여주며 친절하게 안내해 준다. 어마어마한

할인을 진행 중이었다. 어떤가? 아까보다 구매해도 괜찮겠다는 생각이 드는가? 잘 모르겠다면 그림 하나 더 보자.

아! 이 80% 할인이라는 문구를 보고 단 3일간 마지막 할인이라는 기한을 보니 어떤가? 이번에 놓치면 나중에는 210만원을 주고 사야 할지도 모른다. 왠지 지금 안 사면 손해일 것만 같은 생각이 들지 않나? 맞다. 지금 안 사면 손해다. 사람들은 대부분 그렇게 생각한다.

이 친절한 점원은 여기서 그치지 않는다. 6개월 카드 할부로 무이자가 가능하다는 것을 알려준다. 80% 할인 혜택이 3일이면 사라지는데 6개월 무이자로 카드 할부가 가능하니 지금 부담 없이 가져갈 수 있는 기회라는 것이다.

아! 점원의 표정은 밝고 목소리는 따뜻하고 태도는 상냥하다. 오늘 직장에서 꾸중 들어 우울했던 마음이 씻겨 내리는 것만 같다. 생각해 보니 엄청나게 싸게 살 기회이고 할부로 하면 크게 부담되지 않을 것 같다. 더군다나 오늘은 우울한 나에게 위로를 해줘야 할 것 같다. 그래서 당신은 6개월 카드 할부로 양가죽 재킷을 구매하였다. 한 달에 7만원 정도만 내면 되니까 그렇게 큰 부담은 안될 것 같다. 그 친절한 점원은 정말 돈 벌어 가시는 거라며 잘 입으라고 마지막 인사를 한다. 점원의 말을 들으니 왠지 뿌듯하다.

집에 와서 양가죽 재킷을 입어보며 거울을 본다. 싸게 사서 기분 좋은데 거울로 본 내 모습을 보니 뭔가 어색하다. 아! 갑자기 이유가 떠올랐다. 양가죽 재킷과 어울리는 하의가 없다. 그래서 노트북을 열고 평소 자주 이용하던 온라인 쇼핑몰에 급하게 들어간다. 아 다행히 양가죽 재킷에 어울릴법한 하의를 때마침 피팅 모델이 입고 있다. 보니까 잘 어울릴 것 같다. 얼른 구매 버튼을 눌렀다.

아, 곧 택배가 도착하여 입어 볼 생각에 기분이 다시 좋아지고 설렌다.

어떤가? 어떤 상황인지 이해가 되는가?

위 상황설정에 아까 언급했던 용어들의 개념이 다 들어있다.

준거가격 (앵커링 효과)

　소비자가 어떤 물건의 가격이 비싼지, 싼지 평가하기 위한 기준이 되는 가격을 준거 가격이라고 한다.

그래서 판매자는 이런 마케팅 전략을 구사한다.

2,100,000원 써놓고 줄을 그어 원래 가격은 이 정도야~

원래 비싼데 싸게 판매하는 거야~ 라고 말이다.

평소 가죽 재킷을 여러 번 사보거나 아니면 최근 가격조사를 해봤다면 42만원이라는 가격이 싼지 비싼지 판단할 수 있을 것이다. 이미 나에게는 기준 가격이 있으니까. 하지만 그 기준가격이 없다면 바로 앵커링 전략에 당한다. 앵커링 효과는 닻내림 효과라고도 한다.

질문 하나 하겠다.

역사상 가장 넓은 땅을 정복한 정복자 중 하나가 바로 칭기즈칸이다. 칭기즈칸이 태어난 때는 기원전 1세기 경일까 기원후 1세기 경일까? 이건 정답을 맞히는 문제가 아니다.

지금 막 내가 그럴 것 같은 대답을 하면 된다. 기원전인지 기원후인지 고민하다 기원후 1세기경이라 답하거나 기원전 1세기경이라고 답해도 상관없다.

칭기즈칸은 기원후 1162년에 태어났다고 알려져 있다. 정확지 않다고 해도 그 즈음이다. 기원전과 기원후를 굳이 따질 필요가 없다. 1160년대에 태어났는지, 1150년대에 태어났는지 정도 확인한다면 의미 있겠지만 전혀 엉뚱한 지점에서 고민하고 있었던 것이다. 배에 달린 앵커를 한 지점에 내리면 배가 더 이상 벗어나지 않는 것처럼 기준점을 제시하면 사고의 영역이 처음에 제시된 이미지, 숫자, 상황에 강력한 영향을 받아 벗어나지 못하는 효과를 앵커링 효과라고 한다.

즉, 기준이 없는 상태에서 기준이 되는 가격제시를 받고 난 후 더 싼 가격을 듣게 되면 사람들은 상대적으로 가격이 많이 싸다고 느끼게 되는 것이다.

손실 회피

인간은 손실에 대해 큰 고통을 느낀다. 대니얼커너먼 교수 연구팀에서는 이익을 얻는 것보다 손실로 얻는 고통이 두배 정도 더 크게 느낀다고 설명하고 있다.

마지막 할인판매 기간은 단 3일간이었다. 80% 싸게 살 수 있는 이 기회를 놓치면 원래 가격인 210만원에 사야 할지 모른다. 그러면 큰 손해라고 생각하기 마련이다. 이렇게 되면 사람들은 불안해진다.

손실을 두려워하기 때문이다. 그렇다면 손실을 피하기 위한 행동으로 지금 구매해야 한다. 이것이 사람들의 손실 회피 성향을 이용한 마케팅 전략인 것이다. 그런데 집에 와서 천천히 양가죽 재킷을 검색해 보니 아까 사 온 그 브랜드의 양가죽 재킷이 다른 아웃렛에서 비슷한 가격에 판매되고 있다는 것을 알게 되었다.

사전 정보가 나한테 있었어도 상황은 같았을까? 사전 정보가 있었다면 두 가지가 달라진다.

첫 번째, 준거가격 설정이 달라진다. 내가 알아본 가격을 토대로 합리적으로 생각되는 가격이 기준이 된다.

두 번째, 제한적 기한을 놓치면 손실이 발생할 것이라는 불안감이 없어진다. 그러면 즉시 구매를 하지 않아도 된다.

신용 소비

현금이 아닌 신용으로 구매하는것을 신용소비라고 한다. 대표적인 방식이 신용카드 결제이다.

뭐 동네 마트 사장님하고 친해서 마트 물건 먼저 가져가고 돈은 내일 준다고 할 수도 있겠다. 이런 외상도 신용소비이다. 즉 지금 내돈으로 결제하는것이 아니라 물건을 가져가지만 물건값은 나중에 갚는 소비를 말한다.

아까 친절한 점원이 아주 기막힌 타이밍에 중요한 정보를 알려주었다. 6개월 무이자 할부가 가능하다는 것이다. 당장 현금으로 42만원 주고 살 여력이 안된다면 할부로 하면 된다. 이자부담이 발생하지만 한번에 42만원 결제하는것 보다 덜 부담된다. 그런데 할부 이자까지 없다니 완전 이득이라고 느끼게 해준다. 이런 걸 '결정적 한방' 이라고 할 수 있을지도 모르겠다.

자 다시 아까 카드결제 하기전 상태로 가보자

지갑 속에 5만원권 지폐가 10장 있었다. 즉 현금으로 50만원 있었는데 42만원 결제하려고 지갑을 열었다. 5만원권 10장을 전부 내는것과 카드를 내미는것중 어떤것이 마음이 더 편한가?

그렇다. 카드 내미는것이 훨씬 마음 편하다. 내 지갑에서 42만원이 사라지고 이제 8만원만 남는다고 생각할 때 우리 뇌의 전두엽이 활성화되는데, 이때 마음이 불편하게 느껴진다. 보유하고 있던 현금이 사라지기 때문이다. 현금은 다양한 것을 할 수 있는 가능성을 내포하고 있다. 그래서 그 가능성이 줄어들고 내

지갑에서 돈이 사라진다고 직관적으로 인식되기 때문에 마음이 불편한 것이다. 그런데 카드는 그렇지 않다. 돈이 사라지는게 눈으로 보이지 않는다. 그렇기에 신용소비는 우리의 뇌를 자극하지 않는다. 즉 소비에 무감각 하게 만든다. 요즘은 온라인 구매하는 경우도 많아서 더욱 무감각 해졌다. 같은 소비할 때 결제 수단을 현금으로 결제하는 방식으로 바꿨을 때 28% 정도 소비가 절감된다는 연구 결과가 있다.

양가죽 재킷을 사고 집에 돌아와 보니 책상위에 카드 명세서가 있다. 명세서를 보고 나서 저번달에서 전자렌지가 고장나 할부로 샀다는 것을 깨달았다. 월 5만원씩 6개월 빠져나가야 한다. 그 전달에는 노트북이 먹통이 되어서 바꿨다. 월 10만원씩 빠져나간다. 기본적으로 카드 할부만 양가죽재킷 값까지 합하면 22만원이다. 매월 기본적으로 내 수입에서 22만원 갚고 시작해야 한다. 그런데 이것만 신용카드로 구매한것이 아니다. 평소 야식먹을때, 친구들하고 술 한잔 할 때, 점심 사먹을때, 생필품 살때등 대부분 신용카드로 소비했다. 월급을 받으면 일단 내 대신 결제해준 신용카드 회사에 돈을 갚고 나머지 현금으로 살아야 한다. 그런데 갚고 나면 사용할 현금이 없어서 또 신용카드로 결제를 해야 한다. 내 대신 결제해준 신용카드회사, 참 고마운 존재이지만 난 신용카드 회사의 노예가 되고 말았다. 만약 아퍼서 일이라도 못하면 다음달 카드값은 어떻게 결제해야 하나…

이런 상황이라면 과연 소비후 행복감을 온전히 느낄 수 있을까? 갚아야 할 카드값 떠올리며 부담을 느낀다면 오늘 양가죽자켓을 사고 난후 즐거움은 며칠이나 갈까?

'신용카드' 라는 말이 너무 멋지지 않은가? 나의 신용으로 소비가 가능하다는게 매력적일지 모른다. 그리고 현재 즐기고 싶은걸 현금이 없어도 가능하게 하는 마법의 카드다. 그런데 본질은 '외상카드' '부채카드' 이다. 어쨌든 갚아야 한다. 미래의 소득을 현재로 가지고 와 지금 소비해버리는 것이다. 이 행위가 자주 발생할 수록 그리고 커질수록 당연히 미래는 불안해질 수밖에 없다. 지금 선택한 소비의 빚을 미래의 내가 소득으로 갚아야 하기 때문이다. 미래의 선택의 폭이 점점 좁아지니 불안해질 수밖에 없는 것이다.

디드로 효과

프랑스의 철학자 디드로는 친구에게 아주 고급스러운 가운을 선물 받는다. 가운을 입고 서재 책상에 앉아 보니 서재에 있는 물건들이 낡고 촌스럽게 보여 이 고급스러운 가운과 어울리지 않았다. 낡은 가구들은 스타일이 제각각이며, 양탄자는 엉성한 바느질 땀이 눈에 거슬렸다. 장식등의 장식천은 보푸라기가 보여 마음에 들지 않았다. 디드로는 이 새로운 가운하고 어울리지 않는 물건들을 하나씩 바꿔 나갔다.

시간이 조금 흘러 디드로는 서재 책상에 앉아서 할 일을 하다가 문득 자신이 모르는 사이 서재가 전과 많이 달라졌음을 느꼈다. 서재의 모든 물건이 바뀌었음을 깨달았다. 선물 받은 가운으로 인해 자신의 심리적 균형감과 평정심이 깨졌다는 것을 알게 되었다. 우아하고 멋진 서재였지만 마음은 아주 불편했다.

이렇게 새로운 물건으로 인해 다른 소비가 연속적으로 발생하는 현상을 디드로 효과라고 한다.

집에 돌아와 양가죽 재킷을 신나서 입어 보던 중 양가죽 재킷에 어울리는 하의가 필요하다는 생각이 들었다. 서둘러 온라인 쇼핑몰에 들어가 하의를 구입했다. 원래 새로운 하의가 필요하다고 생각하지 않았다. 다만 양가죽 재킷에 어울리는 하의를 사고 싶었을 뿐이다. 양가죽 재킷이 없었다면 그 하의는 사지 않았을 것이다.

내가 아주 이쁜 명품 가방을 샀다고 치자. 그럼 평소 옷차림에 명품 가방만 들고 다닐 수 있나? 어울리는 옷과 구두가 필요하지 않은가? 어울리는 액세서리도 필요 할 수 있다. 명품 가방을 동네 마트 갈 때 들고 가려고 사는 게 아니기 때문이다.
이렇듯 내가 생각한 범위와 다르게 의도하지 않은 소비까지 이어지는 경우가 있다는 것을 알아두자.

감정이 소비를 지배한다

자! 이제 꼭 돈이 없는 것만 문제가 아니구나! 정도는 이해했을 것 같다. 어쨌든 나는 돈을 쓰는 존재다. 어찌 되었든 한 달 지나고 보면 우리는 뭔가 꾸준히 소비했다는 걸 알 수 있다. 돈 관리에 빈틈이 전혀 발생하지 않는 사람은 없다.

한 마케팅 담당자가 한 말이 생각난다.

"마케팅 담당자인 나도 마케팅 전략에 당한다"

그건 그만큼 마케팅 전략이 인간의 심리와 정서를 연구한 끝에 나왔기 때문이다. 마케팅 담당자도 인간이다. 감정, 심리, 주어진 상황에 따라 반응하기 때문에 지극히 자연스러운 것이라고 볼 수도 있다.

자 이제 우리는 인정하지 않을 수 없다.

아 우리는 이런 정서나 심리 상태에 따라, 주어진 환경에 따라, '소비 의사결정'이 달라 질 수 있구나. 그리고 이걸 모르고 있다면 내가 원해서 한 것 같지만 원하는 마음조차도 설계되어 만들어 질 수 있구나. 끊임없이 보여주는 광고가 바로 그 효과를 노리는 전략이다.

우리는 상황 설정으로 심리학 용어를 살펴봤다.

아까 백화점 가기 전 감정 상태가 어떠했나?

직장 상사에게 꾸지람 들은 내 기분은?

그렇다. 그 감정에서 시작되었다.

인간의 행동에 가장 큰 영향을 끼치는 것이 감정이다.

그 좋지 않은 기분을 전환하고자 백화점에 들르게 되었다.

만약 사전에 내가 기분이 좋지 않거나 스트레스 받을 때 해결하는 방법을 정해 놓았다면 어땠을까? 신나는 예능을 본다거나, 미친듯이 달리기를 한다거나, 영화관에서 영화를 본다거나, 특정 행동을 정해 놓았다면 백화점을 우연히 방문하는 것보다 바로 그 사전 설계된 행동을 하려고 했을 것이다.

결국 우리는 돈이 없는 것 보다 사전에 내 돈을 어떻게 사용할지 결정하지 않아서 즉흥적인 감정상태에 따라 써버리곤 내가 쓸 돈이 부족하다고 느끼는 경우가 많다. 마케팅 전략은 우리의 그런 감정을, 우리의 무의식을 공략 대상으로 삼는다.

마트에 가면 시식코너가 있다. 시식하고 나면 어떤가? 거의 시식 후에는 자연스럽게 사게 된다. 먹기만 하고 지나치면 왠지 내가 얌체 같은 기분이 든다. 바로 그 감정을 이용하는 것이다. 이것을 심리학에서 '선물효과'라고 부른다. 선물이나 호의를 받았을 때는 나도 왠지 상응하는 뭔가 해야 할 것 같은 기분이 든다. 실제로 마트는 시식코너를 운영하고 매출이 더 상승했다.

백화점에 가면 1층에는 럭셔리 하게 꾸며져 있고 화장품 판매대가 많다. 사람은 후각, 미각을 자극하면 구매 욕구가 커진다. 화장품 판매대는 그런 의미에서 우리의 후각을 아주 강렬하게 자극한다. 백화점은 엘리베이터가 눈에 확 들어오는 곳에 있지 않다. 엘리베이터 대신 에스컬레이터를 자연스럽게 이용하게 배치해 두었다. 이것 역시 시각을 자극하고 욕구를 더 끌어올리기 위해서다. 엘리베이터라는 공간에 들어가면 시각이 차단된다. 더 많이 봐야 구매 욕구가 더 일어나는데 엘리베이터 안으로 들어가게 그냥 둘 수 없기 때문이다.

실제로 인간은 감정, 즉 무의식에서 의사 결정하고 그에 따른 근거를 의식에서 찾는다. 즉 합리적 의사결정이라는 근거는 선택 후 그럴싸하게 만들어지는 것이다. 그러니 내 감정 상태가 그만큼 중요한 것이다.

한때 '등골브레이커'라는 말이 유행이었다. 고등학생들이 고가의 특정 브랜드 패딩을 형편에 상관없이 너도나도 입고 다니면서 이 말이 유행하기 시작했다. 부모들의 등골이 휜다는 표현을 재밌게 묘사한 것이다. 그런데 왜 학생들은 그 특정 브랜드의 패딩을 선호했을까? 특별히 멋있어서? 특별히 기능이 좋아서? 아니다. 청소년기 때는 외로움이라는 감정이 다른 시기보다 훨씬 예민하고 크게 느껴지는 시기다. 또래 집단에서 배척당하거나 소외되는 것을 극도로 두려워한다. 나만 그 브랜드의 패딩을 입지 않으면 왠지 소외될 것 같은 두려움에 남들이 다 입고 다니는 패딩은 나도 입고 싶다고 느끼게 된 것이다.

이제 돈 관리와 감정을 연결해서 생각해 보자! 이제 내 감정에 대해 깊이 들여다보는 시간이 필요하다.

기분이 안 좋아서 양가죽 재킷 산 것이 잘 못 되었다는 말이 아니다. 소비한 후 나는 어떤 감정이나 마음으로 이 돈을 썼을까, 내 감정을 살펴보자는 것이다. 그리고 앞으로 같은 상황이 발생할 때 나는 어떤 결정을 하고 싶은가 확인해 보자는 것이다.

2. 인생이 그토록 힘든이유

학교에서 방정식 푸는 방법은 배웠어도
돈 관리 방법은 배우지 못했다

이 글을 읽는 사람 거의 대다수가 학교에서 '돈 다루는 방법'에 대해 배워본 사람이 없을 것이다. 사회에 나와서 회사에 들어가면 배우나? 그것도 아니다. 회사는 일 잘하는 방법을 가르친다.

나 역시 그랬다. 그래서 돈에 대해 실패가 많았고 많이 아팠고, 그로 인해 인간관계도 망가졌다. 돈에 대한 실수는 다른 실수보다 무척 아프고 때로는 비참하다. 그런데 많은 사람들이 왜 그렇게 돈에 대해 잘못된 판단을 하거나 실수를 할까? 기준이 명확하지 않아서이다.

수학 문제 풀 때는 규칙이 존재한다. 문제 유형에 따라 이런 방식으로 풀어야 한다거나 공식이 있다. 그것을 잘 대입해서 풀면 된다.

하지만 돈에 대한 의사 결정은 다르다.

나의 감정이나 정서에 따라서 그 결정은 달라진다. 그리고 사회적 통념과 사람과의 관계, 가치관이나 신념에 따라, 내 지위나 상황에 따라 그 결정이 달라지기도 한다.

이를테면 친구에게 돈을 빌려주지 않으면 왠지 의리 없는 사람으로 인식되는 것 같은 불안한 생각이 든다거나 전셋집 알아볼 때 부동산 중개인이 참 친절하고 말을 잘해서 말만 믿고 근저당 설정 등 자세히 알아보지 않고 그냥 믿고 계약한다거나 남들이 좋다고 하는 사업 아이템을 사전 시장 조사 없이 사업 시작하는 경우를 말한다.

모두 명확한 자기 기준이 없다.

결국 돈 관리 방법도 사회적인 통념이나 전문가라고 일컬어지는 사람들의 조언대로 하게 된다. 재무 목표도 보통 그렇게 많이 정한다.

　- 결혼 비용 금액으로 평균 얼마가 필요하다

- 어디에 집을 사는 게 유리하다.

- 직장인 1억 모으려면 한 달에 얼마씩 저축해야 한다.

모두 이 사회에서 누군가 말 하는 방식이다. 다른 누군가의 생각에서 나온 말이다. 먼저 본질을 따져 보자.

결혼의 본질은 결국 사랑하는 두 사람이 한 가정을 이루는 것이다. 그러면 그 본질을 지키면서 형식은 어떠한 형식으로 할 지 정하면 된다. 그 형식에 따라 비용은 달라지기 마련이다. 굳이 처음부터 빚내서 도심에 신혼집을 구하고, 결혼식은 어디 호텔에서 해야 하고 등등 사회적 통념이나 주변 사람들에게 휘둘릴 필요 없다. 집은 사람이 사는 '곳'이다. 사는 '것'이 아니라 사는 곳이다. 그러면 어디가 잘 오를까? 를 고민하는 것이 아니라 나는 어떤 환경에서 살고 싶은지 결정해야 한다. 주변에 공원이 있어야 하는지, 출퇴근 유리하게 교통편이 좋아야 하는지, 마당이 있는 집이 좋은지, 특별한 공동체가 있는 동네가 좋은지 등등

나도 안다. 주변 사람들 집 가격 오르는데 내 집만 안 오르면 정말 속상하다는 것을!

이 사회가 말하는 행복한 삶이라는 길이 있다. 좋은 대학 가려고

열심히 공부해서 좋은 대학 간다. 그렇게 좋은 대학 졸업 후 좋은 직장에 들어간다. 그런데 몇 년 지나고 보니 '이건 내가 원하는 삶이 아닌데…' 라는 현실 자각 시간이 갑자기 온다. 결국 퇴사한다. 그렇게 남들이 부러워하는 직장임에도 왜 퇴사를 할까? 흔히 말하는 행복한 삶이라는 길을 걸어왔고 누구보다 노력하며 열심히 살았는데… 이 과정에는 내가 빠졌다.

내 삶을 어떻게 살지 어떤 삶을 원하는지 처음부터 생각하고 내가 바라는 인생의 로드맵을 구성하지 않았다. 남들이 하는 방식을 따라가다 보니 어느덧 지금의 자리에 와 버린 것은 아닐까?

다시 한번 강조한다.
나는 내 삶을 살아야 한다.

'직장인이 1억 모으려면 월 얼마씩 저축해야 한다'라는 것보다 중요한 건 내가 뭘 하고 싶은지, 하고 싶은 것에 얼마의 돈이 필요한지, 그 돈을 마련하기 위해 나는 어떤 방법으로 돈을 마련할지 접근하는 것이다.

무조건 한 달에 100만원씩 저축해야 하니까 이거 참고, 저거 하지 말고, 그런 식으로 일률적으로 적용해 나를 괴롭게 하지 말라는 것이다. 결국 다른 사람과 끊임없이 비교하며 나 자신을 열등감 덩어리로 만들지 말자. 이렇게 다른 사람들에게 맞추고, 사회적 통념에 맞추다 보면 결국 주변의 말이나 유행에 휩쓸려 간다.

욜로가 대세이면 '어차피 인생 뭐 있어? 즐기며 사는 거지' 라고 생각하며 현재의 소비에 집중한다. SNS에 '오마카세' 사진이 올라온 거 보면 능력과 상관없이 '오마카세' 인증을 해주어야 한다. 거지방이라는 단톡방이 시대의 흐름을 타면 무조건 목적 없이 어떻게든 최대한 아끼는 것에 초점을 둔다. 물론 놀이처럼 재밌게 하는 사람들도 있지만 남들이 저렇게 아끼며 재테크 하는데 나도 해야 하는 거 아닌가 하며 억지로 따라하는 것은 조심해야 한다.

사람은 생각하는 대로 살지 않으면 사는 대로 생각하게 된다. 살아지는 대로 자기 합리화를 끊임없이 하게 된다. 살아가는 게 아니라, 살아지는 대로 생각하게 된다. 그래서 나를 '나 답게' 살게 해줄 기준과 시스템이 필요하다. 그렇지 않으면 그때그때 상황이나 감정에 따라 결정하게 되고 그 결정을 합리화하며 살아가게 된다. 정작 내가 원하는, 목표로 하는 곳에 돈을 쓰지 못하고 그때 그때 감정을 달래는 소비로 내가 원하는 미래와 점점 멀어지게 된다.

처참했던 돈 사고

나는 끔찍한 돈 사고를 겪었다.

너무너무 아팠다. 그리고 많은 걸 배웠다.

먼저 내 이야기를 하려고 한다.

편한 친구에게 대화하듯 편하게 전달하려고 한다.

그 친구는 고등학교 때부터 친한 친구였어.

친한 친구 5명이 뭉쳐 다녔는데 그중 한 명이었지.

그 친구랑 나랑은 대화, 옷 입는 스타일, 생각하는 거 여러모로 잘 통했어. 심지어 다른 4명은 같은 학교이고 그 친구만 다른 학교인데도 우린 꽤 친했어.

그래서 내가 독일 유학 중 몸이 심각하게 안 좋아지면서 '이제 프로 연주자는 안 되겠다' 생각하고 고민이 많았을 때도 그 친구랑

통화를 많이 했지. 음악만 해오던 내가 뭘 할 수 있을까? 고민이
많았거든.

그 친구가 하는 일은 전문 주식 트레이더였어
그전에는 자산운용사에서 자금 운용을 하기도 했었는데 독립해서
따로 투자 회사를 차렸더라고.
직업군인이었던 그 친구가 가끔 만날 때마다 투자 공부를 한다고
하더니 결국 나중에는 그렇게 자리를 잡더라.

우리 5명 친구 중에는 가장 빨리 자리 잡았어. 소위 말하는 잘나가
보이더라고. 외제 차도 타고, 집도 사고, 오피스텔도 구입해서
임대주고.
뭐 그렇게 자산을 일구며 나름 잘사는 듯 보였고, 그 친구의 권유로
금융업에 발을 내딛게 되었지. 그렇게 보험회사부터 시작해
투자상품을 다룰 수 있는 자격 취득 후 증권사 업무 대행을 할 수
있게 되었어. 사람들에게 다양한 자산 포트폴리오 전략을 구성해
줄 수 있었지.
한동안 사람들의 자산 포트폴리오 전략 짜주고 원하는 재무 목표

이룰 수 있는 방법 찾아 솔루션 제공하고 사람들이 만족해하는 모습을 보면서 나도 보람차고 일도 재미있었어.

어느 날 그 친구에게서 전화가 왔어. 아버지께서 심한 협심증으로 쓰러지셨다고 급하게 병원 모시고 와서 각종 검사하고 이제 좀 한숨 돌린다며 전화 했더라고. 그렇게 아버지 건강에 대한 얘기를 주고받다가 우리 아버지 건강 어떠시냐며 묻더라.

자기가 겪어보니 이거 보통 직장인은 병원비 감당 안 되겠다면서 아버지 노후 대비 충분히 되어 있냐고 묻더라고.

실은 우리 아버지 연세가 많지 않을 때 뇌경색이 발생해 보험 가입을 못하시고 그 이후 병원비는 꾸준히 발생하는 상황이었어. 뇌경색 증세로 이미 두 번이나 입원하신 적도 있고. 그래서 나도 아버지 노후 대비해야 한다고 말했지.

그렇게 그날 통화는 마치고 며칠 후 전화가 왔어.

그 친구가 이번에 일 하나 맡았는데 거기에 자금 투입이 가능하다고 말하는 거야. 이번에 자금 합쳐 줄 테니까 아버지 노후 대비하라고 나보고 투자하라고 한 거지.

"난 돈이 없어서 안 되겠는데…" 그렇게 말했고

친구는 우리 아버지 자금 있으시면 이번이 좋은 기회니까 투자해 보면 어떻겠냐고 하더라고. 원래 외부 자금 안 끼워주는데 좋은 기회라면서….

그래서 아버지와 상의했고 아버지는 "그 친구 믿을 수 있는 친구냐" 물으셨어. "그 친구 고등학생 때, 20대 때 우리 집에서 자고 가기도 한 친구에요. 얼굴 보면 기억하실 거예요" 믿을만한 친구라고 했지.

그렇게 아버지 자금을 받아 그 친구에게 투자하게 되었어

그 친구를 더욱 신뢰할 수 있었던 이유가 있어

내가 독일에서 유학 생활 접고 처음 한국에 와서 집도 없고 돈도 없으니 당연히 아버지 집으로 들어갔지. 그때 아내는 조금 힘들어했어. 나도 교회 가기 위해 주일마다 애 데리고 대중교통으로 1시간 30분 넘는 거리 다니기 힘들기도 했고. 그런데 때마침 좋은 분이 제안해 주셨어. 자신의 기관에서 청년 주거 지원하고 있는데 매월 월세 지원하고 있다고.

그런데 청년들이 책임감 없이 행동하고 관리도 힘드니 차라리 나에게 보증금 지원해 줄 테니 대출 형식으로 매월 갚으면

어떻겠냐고 하더라고.

그래서 이사 계획을 하고 집을 알아보러 다녔지. 당연히 집 알아보고 있다고 말도 전하고.

계약하는 날 또 확인했어. "지원 확실히 되는 거 맞을까요? 오늘 계약하려고 하는데요" 계약 하라고 하시더라고.

그런데 계약을 마치고 집에 가는데 제안해 주셨던 분이 전화하셨어. 다른 운영위원들과 협의가 안 돼서 지원할 수 없다는 거야.

아, 나는 너무 황당했지.

그래서 당시에 '이 집 계약금 날릴 수밖에 없겠다' 생각했어. 처음 계약금 100만원도 바로 이 친구가 빌려준 거였는데 나머지 돈을 어디서 구할지 방법이 없으니까.

그렇게 발을 동동 구르며 쩔쩔매고 있었는데 친구가 또, 1,000만원을 선뜻 빌려준 거야. 그래서 모자란 돈 어머니에게 조금 빌려 극적으로 이사할 수 있었지.

내가 왜 이 친구를 신뢰했는지 어느 정도 이해가 되지?

심리적으로 그때 내가 절박한 상황에서 나를 믿고 도와준 친구가 이 친구거든.

어쨌든 그렇게 이사를 하고 한국 생활을 본격적으로 하게 되었고 투자 수익도 매월 잘 들어와서 '아 내 인생 이제 살아나나 보다' 생각했지. 그렇게 1년 6개월 넘게 수익이 잘 들어왔어.

친구는 다른 자금 운용팀과 새롭게 컨소시엄을 구성해 자금규모 키워 운용하겠다고 하더라고. 자금 규모가 커지면 수익률도 올라가니까. 시간이 지나 컨소시엄 종료 시점이 되었어. 자금 분리를 해야 하는데 정산 부분이 부딪혀 협의가 안된다고 했어. 그렇게 시간이 지체되면서 줘야 할 돈들을 못 주는 상황이 발생하게 된 거지.

그래서 친구는 일단 컨소시엄 자금 협의하는 기간에 투자수익금 지급하기 위해 다른 자금 운용 팀 용병으로 참여하기로 했어. 거기서 받는 보수로 투자수익금 지급한다고 하더라고. 그렇게 위기를 넘기나 했는데 진짜 사고는 여기서 터졌어.

당시 여기서 일하는 용병(트레이더)들에게 운용자금에 자금 합쳐줄 테니 수익 더 가져가고 싶은 사람은 자금 투입하라고 했다는 거야. 그래서 그때 친구가 이거 기회라면서 자신도 자금 투입해서 이번에 수익 제대로 내고 싶다고 말하더라고. 난 처음에 그건 아니다 라고 말렸지만 정말 간절히 원한다며 좀 도와달라고 하더라고. 자신도 이번에 다시 재기하고 싶다고. 그렇게 친구가 간절히 원하니 나도 어쩔 수 없이 도와주게 된 거지. 완전 판단 착오였어.

그때 내가 도와줄 수 있는 게 투자할 만한 사람 소개해 주는 것밖에 없었어.
그래서 여러 사람을 소개해 줬고 그게 잘못되어 그 친구는 사라지고 투자자들에게 나만 시달리게 된 거지.
난 내 돈도 못 받고, 가지고 있는 돈도 다 내주는 상황이 발생했어. 그때 우리 집 보증금까지 털어서 도의적으로 갚았어. 그래도 끝이 없더라.

아…

전화가 정말 무섭더라.
새벽 1시, 2시에 전화 오기도 하고, "너, 가정파탄 한번 나볼래?" 등 협박도 듣고… 집에 언제 찾아와서 아이들과 애 엄마한테 무슨 소리 할지 불안하고…

그때 더군다나 아버지가 중환자실 입원하시게 됐거든. 아 아버지는 중환자실에서 앞으로 어떻게 될지 모르고, 투자자들 한테는 전화가 빗발치고⋯ 정말 도망가고 싶더라.

더 비참한 건 모든 보험이 실효되었는데 아내가 갑상샘암 진단을 받은 거야. 그런데 수술할 비용이 없더라고.
아내가 아픈데 수술할 비용이 없어서 수술을 못 한다니 마음이 아주 쓰리더라.
시간이 얼마 지나지 않아 이번엔 딸 아이가 사구체신염으로 병원 입원을 하고⋯ 왜 삶의 고통은 고농축으로 한꺼번에 오는 걸까⋯

삶의 희망이 없었어. 어떻게 이 상황에서 벗어날 수 있는지 방법을 몰랐어. 주변에 나를 오랫동안 지켜본 사람들도 신뢰해 주지 않더라고. 그게 제일 힘들었어. 세상에 나 혼자 덩그러니 절벽에 서 있는 느낌이었어.
'나 나름대로 사람들에게 신뢰받고 있다고 생각했는데⋯'
'이렇게 한순간 다 돌아서는구나'
'그동안 나는 이 정도 인간이었구나' 이런 생각이 들더라고.

물론 모두 그런 건 아니었지.

그래도 따뜻한 말로 위로 해주는 가족이 있었고.

후배 중 한 명은 처음에는 법적 조치 얘기하고 그랬는데 나중에는 그 돈 안 갚아도 된다고 말해주더라.

정말 고마웠어.

그리고 본인 돈도 날렸는데 나한테 돈에 대해 뭐 자세히 물어보지도 않고 늘 "코치님~" 하며 따라주던 후배 금융상담사도 있었고. 힘들지만 내색하지 않고 자리를 지켜준 아내가 있었고…

모두 고마웠지.

그렇게 난 친구의 위기를 내가 막아주다가 나 자신도 무너져버리고 내 가정도 위태로워지는 상황을 맞이하게 된 거야.

내가 왜 이렇게 사고 터지기 전 내용을 자세히 말하는지 알아?

가만히 보면 너무 바보 같지 않아?

그리고 금융 지식을 전혀 모르는 것도 아니었어. 오히려 알려주는 사람이었지.

그럼에도 너무나 바보 같은 그런 결정을 한 거야. 그 과정을 들려주고 싶었어.

그러면 왜 그렇게 바보 같은 결정을 했을까?

평소 내 성향이라면 아무리 친한 친구라도 내 가정이 위기 겪을 가능성이 있다면 적극적으로 관여하지 않았을 거야.

바로 신세 졌다는 도움받았다는 감정이 내 결정에 큰 영향을 끼친 거지! 내가 몹시 어려울 때 도움받았기 때문에 미처 내가 외면하지 못했던 거야.

심지어 내 아내는 돈 사고 초창기에 그 친구가 한 아주머니 채권자에게 시달렸는데 이 아주머니가 그 친구 아이들 이름 알아내서는 학교에 찾아가 소문 다 낼 거라고 하는 이야기 듣고 울기까지 했어. 너무 마음 아프다고…

아내들끼리도 서로 친했거든.

어떻게 이 상황을 벗어날 수 있을까 생각하며 하루하루 그냥 버티며 살고 있었는데 때마침 경기도 청년 통장 금융상담을 하게 되었어. 경기도복지재단에서 주관하는 업무인데 어쩌다 여러 상담사 중 한명으로 나도 참여하게 되었지. 그때 상담 대상자 중 채무 때문에 청년 통장을 해약하고 싶다는 청년이 있었고 긴급하게 경기복지재단에서 그분을 만나 상담 진행해달라는 요청이 있었지.

그때 정말 열심히 상담했어. 어떻게든 도와주고 싶었거든.
내가 돈 때문에 힘들고 삶이 무너지니까 다른 사람들의 돈에 대한 고통이 너무 잘 이해 되더라고.
OO님은 자신의 채무를 너무 부끄러워했어. 이때까지 한 번도 공과금이나 이자 같은 걸 밀려 본 적이 없다고 했지. 그런데 건강이 안 좋아지고 일을 할 수 없게 되었는데 치과 치료까지 받아야 하는 상황이 있었어. 계속 카드로 생활하면서 부채가 쌓이게 된 거야. 어쩔 수 없이 너무 아깝지만 청년 통장을 해약하기로 마음먹은 거지.

재밌는 건 OO님은 나를 항상 재무사님이라고 불러줬어. 재무 상담을 진행해서 그렇게 생각했나 봐.
채무를 부끄러워하고 자신의 상황 말하는 걸 너무 힘들어하는 OO님을 보면서 편하게 말할 수 있게 내 상황을 먼저 알려줬어. "나도 의도치 않은 빚이 생겼고 어렵게 버텨나가고 있다." "누구나 의도치 않게 채무 발생할 수 있고, 부끄러워하지 않아도 된다"

"이건 내 삶의 흑역사지, 도덕적으로 비난받을 일이 아니다" 내 상황을 이야기하며 마음을 편하게 해주니 자신의 이야기를 조금씩 꺼내더라고. 그래서 조금씩 문제에 접근할 수 있었지. 원래 에너지가 좋은 사람 이었어.

당시 상담이 진행되는 중에 OO님이 SNS 대화 중 상담에 대한 소감을 이렇게 남겨줬어.

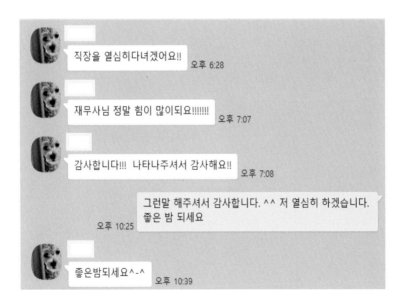

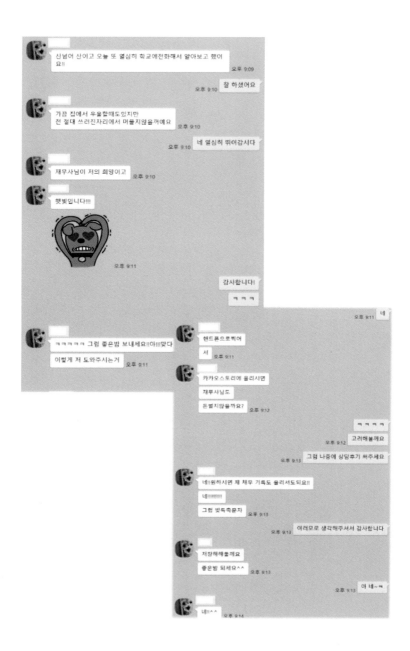

산 넘어 산이고 오늘 또 열심히 학교에전화해서 알아보고 했어요!!
오후 9:09

잘 하셨어요
오후 9:10

가끔 집에서 우울할때도있지만
전 절대 쓰러진자리에서 머물을꺼예요
오후 9:10

네 열심히 뛰어갑시다
오후 9:10

재무사님이 저의 희망이고
오후 9:10

햇빛입니다!!!
오후 9:11

감사합니다!

ㅋㅋㅋ

네
오후 9:11

핸드폰으로뽁어
서
오후 9:11

ㅋㅋㅋㅋㅋ 그럼 좋은밤 보내세요!!아!!맞다
이렇게 저 도와주시는거
오후 9:11

카카오스토리에 올리시면
재무사님도
돈 벌지않을까요?
오후 9:12

ㅋㅋㅋㅋㅋ

고려해볼께요
오후 9:12

그럼 나중에 상담후기 써주세요
오후 9:13

네!!원하시면 제 채무 기록도 올리셔도되요!!
네!!!!!!!!
그럼 빚독촉문자
오후 9:13

여러모로 생각해주셔서 감사합니다
오후 9:13

저장해해볼께요
좋은밤 되세요^^
오후 9:13

아 네~~
오후 9:13

네!!^^
오후 9:14

54

내가 돈 사고를 크게 겪지 않았다면 저렇게 열심히 상대방의 입장에서 상담해 줄 수 있었을까?

나는 당시에 창조주의 계획이라고 생각했어. '아 나한테 이런 고통과 시련을 주신 건 이 사람들을 잘 도와줄 수 있게 미리 경험시키신 거구나' 그런 생각을 했지. 요즘도 그런 생각으로 하려고 최대한 노력해. 한동안 저런 생각이 희미해졌지만, 이렇게 정리해 보니 다시 그때의 감정이 떠오르네. 나는 금융상담 받는 내담자들에게 교조적인 느낌이 들지 않게 하려고 노력해. 그래서 삶을 공유하며 함께 이겨내 보자는 마음으로 접근해. 그러니 사람들도 금융상담을 좀 더 편하게 생각하는 것 같아.

오랫동안 아산시에서 재정 확보해 사회적 금융 취약계층을 위한 금융상담을 진행해 왔어. 최근에도 계속 상담하는 내담자 사례야. OO님은 로스쿨 다니며 장밋빛 미래를 꿈꾸었어. 그런데 갑자기 교통사고를 당해 한동안 깨어나지 못하다 극적으로 깨어났지만 사고 후유증으로 심한 허리디스크 생겨 정상적인 생활이 불가능하게 되었지. 그렇게 일을 할 수도 없는 상황에 아버지까지 아들 상황에 대한 충격으로 뇌출혈로 쓰러지신 거야. 그런데 새어머니가 돌연 태도가 바뀌더니 아버지 위임장 작성 후 재산을 마음대로 사용하고 아들인 OO님의 형편이 어려워졌는데도 도와주지도 않고 모른척한 거지.

형편이 어려워지자 아내도 가정에 소홀하게 되었고 결국 아이 둘을 혼자 키우게 되는 상황이 되었지. 이런 상황을 접하고 아산시에서 사례관리 하게 된 거고 내가 상담을 맡게 되었어.

그렇게 상담이 시작되었고 상담 진행 기간 동안 이런저런 서로의 삶을 공유하고 이해하며 정서적 지지자가 되어준 거지. 최근에 OO님이 이렇게 나에게 힘을 주었어.

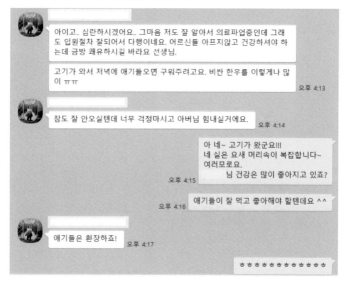

ㅎㅎㅎㅎㅎㅎㅎㅎㅎㅎㅎ

격렬한 표현이네요~

오후 4:19

건강은 그냥그래요. 그나마 수면제를 바꿔서 요새는좀 잘자요. 통증도 예전보단 나아졌고, 그나저나 선생님 힘드신일있는데 위로도 제대로 못 해드려서 죄송하네요.

오후 4:19

제가 술을 못마셔서..

오후 4:20

오 잘자는게 제일 좋은 소식이네요!!!

잘자는게 제일 중요해요. 아무리 스트레스 받더라도...

아 아닙니다. 이렇게 대화하면서 많이 위로받아요

오후 4:20

술마시면 결국 내일을 망치더라구요. 이제 술 안마시려고 노력중이에요!

요즘 드는 생각은 친구가 이제 일이 해결됐다며 짜잔 나타나서 내돈을 돌 려주면 좋겠네요 ^^

오후 4:21

저는항상 선생님한테 위로받는데 죄송해요. 선생님 흔들리지마시고 선 생님은 항상 덕을 많이 쌓으셔서, 안좋은일들 힘든일들 다 빠른시일내에 금방금방 지나가실 거에요. 제가 살면서 선생님같은 사람들만 이세상에 있다면 얼마나 좋을까 이생각 뿐이에요. 저처럼 무너지지 마시고 버티 세요! 다 무탈하게 지나가실거에요. 조금만 조금만더 힘내시고 근심걱정 조금만 버리시고, 선생님답게 버텨주세요! 항상고맙고 감사하고 사랑합 니다. 선생님

오후 4:23

아이고...   님....
40대 아재를 울리네요......
눈물 납니다.
정말 감사합니다.

오후 4:26

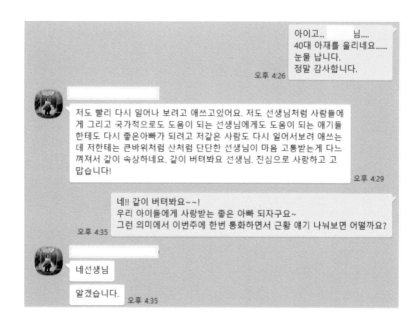

아이고...   님......
40대 아재를 울리네요......
눈물 납니다.
정말 감사합니다.

오후 4:26

저도 빨리 다시 일어나 보려고 애쓰고있어요. 저도 선생님처럼 사람들에게 그리고 국가적으로도 도움이 되는 선생님에게도 도움이 되는 얘기들 한테도 다시 좋은아빠가 되려고 저같은 사람도 다시 일어서보려 애쓰는데 저한테는 큰바위처럼 산처럼 단단한 선생님이 마음 고통받는게 다느껴져서 같이 속상하네요. 같이 버텨봐요 선생님. 진심으로 사랑하고 고맙습니다!

오후 4:29

네!! 같이 버텨봐요~~!
우리 아이들에게 사랑받는 좋은 아빠 되자구요~
그런 의미에서 이번주에 한번 통화하면서 근황 얘기 나눠보면 어떨까요?

오후 4:35

네선생님

알겠습니다. 오후 4:35

혹시 네가 지금 돈 때문에 힘들다면, 그래서 많이 상처받았다면 다른 사람을 살릴 수 있는 좋은 경험과 자산이 쌓이고 있는지도 몰라. 사람은 먼저 그릇이 커져야 더 많은 걸 담을 수 있데. 지금은 그릇이 커지는 과정일지도 몰라. 그러니 너무 자책 하지마. 네가 모르는 인생이 새롭게 펼쳐질 수도 있잖아.

나를 죽이는 '자기 대화'

당신이 하루 중 가장 많은 대화를 나누는 사람이 누구인가?

바로 당신 자신이다.

부정할 수 없을 것이다.

밤에 잠자리에 들 때, 샤워를 할 때도, 밥을 먹을 때도, 산책할 때도, 운전할 때도, 유튜브 영상을 볼 때도 모두 머릿속에서 하는 그 생각,

나에게 끊임없이 하는 그 말,

다른 사람은 들리지 않아도 나에게는 너무나 선명한 그 말,

문제는 그 반복적이고 지속적인 그 말로 나를 망치고 있다는 것이다. 만약 당신이 돈 때문에 힘들다거나 돈에 대한 심각한 실수를 저질러서 괴로운 상황이라면 아마 자신에게 많은 가시 돋친 말들을 쏟아내고 있을지도 모른다.

만약에… 그때 이렇게 했더라면… 어땠을까?

항상 내가 다 망쳐놓지… 아 정말 나는 쓸모없는 인간이야…

내가 그때 그런 결정만 하지 않았더라면 내 주변 사람들이 이렇게 힘들지 않을 텐데… 돈과 관련이 없더라도 자신에 대해 끊임없이 일상적으로 하는 말 너는 게을러, 너는 멍청해, 너는 의지력도 없어, 너는 참을성이 부족해 너는 재능이 없어… 너는 이것밖에 못 하니… 등등 무수히 많다.

최근 신경과학 및 심리학 연구들에 의하면 나 자신과 나누는 '자기 대화'가 내 삶의 질에 상당한 영향을 미친다는 것이 밝혀지고 있다. 그 영향의 좋은 점부터 말하면 긍정적 '자기 대화'는 기분을 끌어올려 주고 자기 효능감을 느끼게 하며 심지어 생산성까지 향상한다고 한다. 나쁜 점은 부정적 '자기 대화'는 기분을 저하하고 무력감을 느끼게 만들 수 있다. 별로 영향이 없는 작은 문제도 엄청나게 큰 문제로 착각하게 만들 수 있으며 없던 문제도 만들어 낼 수 있을 정도라고 한다.

이렇게 '자기 대화'는 우리가 상상도 못 할 방식으로 우리 인생을 망치고 있다는 것이다.

나를 살리는 '자기 대화'

나를 둘러싼 환경은 결국 내 생각, 나의 사람됨에서 나온다.

내 상황은 결국 내 생각에서 싹을 틔어 자라난다.

생각이 변하면 상황도 변한다. 상황이 나를 어렵게 만드는 게 아니라 내 내면이 외부로 드러난 것이 상황이다.

결국 내가 '나는 돈이 없어서 OO 못 해' 라고 하면 난 OO 못하는 사람으로 규정하는 것이다. 나는 OO 못하는 사람으로 내가 인정하고 규정한 것이다.

돈이 모자라지만 그거 가능한 방법은 뭘 까? 어떻게 하면 할 수 있을까? 혹시 그것 말고 다른 대안은 없나? 이런 식으로 생각해야 내 상황을 바꿀 수 있다.

당장 돈이 없어서 못 하는 건 사실이다. 하지만 돈 때문에 못 한다고 내 삶으로 받아들이는 순간 앞으로 난 계속 그런 삶을 당연시하게 된다.

쳇바퀴를 달리는 햄스터를 보고 있으면 어떤 생각이 드는가?
엄청 열심히 발을 구르는데 계속 똑같은 제자리… 혹시 나도 그런
제자리에 쳇바퀴만 열심히 돌리고 있는 존재로 보일 때가 있나?
뭔가 열심히 사는 것 같은데 전혀 나아지고 있는 느낌이 들지 않는
그런 상황 말이다. 그러면 이제부터 그런 삶을 살지 않기로
결심해야 한다. 그런 결심을 하지 않는다면 당신은 그런대로
지금의 삶이 살만한 것임이 분명하다.

생각해 보자. 내가 내 삶을 바꾸기로 결심하지 않는다면, 지금 삶이
그런대로 살만 하다는 것 아니겠는가?
지금 삶에서 벗어나고 싶다면 이제 결단해야 한다.
그리고 내 의지를 담은 말을 해야 한다.
아… 난 의지력이 약해요. 어쩌죠?
그러면 의지가 없는 표현으로 생각해 볼 수도 있다.

'난 쳇바퀴 같은 지금의 삶을 살 의지가 없다'

'난 건강하지 않은 몸으로 살아갈 의지가 없다'

'난 이런 창의성 없는 일을 계속하며 살 의지가 없다'

'난 더 이상 빈곤감에 시달리는 삶을 살 의지가 없다'

의지 있는 표현으로 '나는 새로운 일에 도전할 의지가 있다' 라고 말할 수도 있지만 내가 하고 싶지 않은 일을 더 이상 하지 않고 새롭게 바꿔 보고 싶을 때는 위 표현처럼 반대로 생각해도 된다. 당신에게 더 효과적인 표현을 사용하면 된다.

자 어떤 표현이 당신에게 더 효과적인가?

내가 하고 싶은 일이나 원하는 일이 떠오르지 않는다면 하고 싶지 않을 일이나 참을 수 없는 상황을 먼저 적어보자. 그러면 하고 싶은 일이나 원하는 일이 보일 수도 있다.

이제 결단의 내용을 정했다면 '자기 대화'를 통해 끊임없이 들려줘라!

잠자리에 들 때도, 샤워할 때도, 운전할 때도, 산책할 때도, 운동할 때도, TV 볼 때도, 내 의지를 담은 내용으로 대화하라!

다시 한번 기억하자 하루 중 가장 많은 대화를 나누는 사람은 나 자신이다!

내 의지를 가장 많이 일깨워주고 나를 이끌어줄 사람도 나 자신이다!

3. 나에게 최적화된 돈 관리 시스템 만들기

현재 내 돈 상태부터 파악해야 하는 이유

이제 내 인생을 조금이라도 바꿔보고 싶은 의지가 생겼다면 내 돈이 어떤 방향으로 나아가길 원하는지 생각할 때이다. 당신이 여기까지 읽었다면, 그래서 내 인생을 조금이라도 개선시키고 싶은 마음이 들었다면, 이제 내 삶을 바꾸는 돈 관리 방법에 관심이 커졌을 것이다. 어쩌면, '나는 원래 의지도 있고, 행동도 잘하는 편인데 돈 관리 제대로 하는 방법은 언제 나오는 거야?'라고 생각하는 사람도 있을 것이다.

그러면 본격적으로 실습해 보자.

첫 번째는 현재 재정 상태 파악이다.

'나 내일부터 운동 열심히 해서 멋진 근육을 만들어야겠어'라고 생각하고 피트니스 센터에 가서 호기롭게 PT를 결제하고 열정을 불태우려고 한다.

트레이너가 가장 처음에 하는 것이 무엇인가?

현재 상태를 파악하는 것이다. 그래야 적절한 근력운동 수준을 제시할 수 있으니까.

이건 아파서 의사에게 가도 마찬가지다. 현재 어디에 통증을 느끼고 몸이 어떤 상태인지 문진과 검사를 통해 현재 내 상태 확인을 한다.

학교 다닐 때 성적표를 생각해 보자.

학교에서 배운 내용들을 어느 정도 잘 이해하고 있는지 시험이란 확인 절차를 거쳐 성적이 나온다.

즉, 성적표에 나와 있는 성적이 현재 나의 학업 성취도의 수준을 나타낸다. 현재의 재정 상태도 마찬가지로 현재 '내 돈 관리 기술'에 대한 성적표다. 성적표를 보고 어떤 과목이 부족한지, 어떤 부분을 보완해야 할지 계획을 세울 수 있다. 현재의 재정 상태를 파악하고 나면 안 보이던 것들이 보이기 시작할 것이다. 그리고 중요한 것은 이것이다.

내가 내 소비 항목을 살펴보다 보면 내가 왜 그렇게 돈을 썼는지 깨닫게 된다. 내 감정과 심리 상태, 돈에 대한 내 가치관이

느껴지게 된다. 또 내가 관심 갖고 있는 것, 좋아하는 것들이 보일 수도 있다.

이런 항목들을 확인해야 '나 다운 돈 쓰기'를 할 수 있다.
보통 우리가 살아온 인생을 내 인생의 발자취라고 한다.
당신의 돈 사용 흔적이 그것이다. 당신 돈의 발자취.

그래서 나는 이걸 '머니맵' 이라고 한다. '내 돈의 지도'
내 돈의 흐름을 볼 수 있고 지나온 돈의 흔적을 살펴볼 수 있기 때문이다. 여기서 주의할 점은 모은 돈이 얼마 없다고, 돈을 이상하게 쓰고 있다고 자신을 비하하거나 인생 낙오자라고 생각하지 말자! 이 책을 읽고 여기에 나오는 것들을 실행하는 것 자체가 장담하건대 그 누구보다 나 자신을 바꾸고 싶은 강한 열망을 가진 사람이라는 증거니까!

자 그럼 당신의 '머니맵'을 작성해 보자
다음 제시하는 시트에 내용 작성을 솔직하게 해보자. 남한테 보여주려고 하는 것이 아니라면 솔직하게 작성할 수 있을 것이다.

어쩌면 마음에 불편함이 올 수도 있다. 하지만 명심하자! 나 자신에게 솔직해지자. 이건 내가 나를 객관적으로 볼 수 있는 제일 좋은 도구이다. 현재 상태를 정확하게 진단해야 처방도 올바르게 할 수 있다. 있는 그대로 적고, 있는 그대로 나의 모습을 받아들이면 된다.

1인 가구이면 1인 가정경제, 4인 가구이면 4인 가정경제이다.

그리고 하나 반드시 알아야 할 것이 있다.

소비 항목에 좋은 소비 항목, 나쁜 소비 항목 이런 도덕적 관념은 없다. 다만 '만족스러운 소비' '불만족스러운 소비'는 있다.

소비 항목을 바라보는 내가 내 감정, 심리, 상황 등으로 결산하면 된다. 다시 말해 '돈 아끼려면 어떤 소비는 하면 안 된다' '지금 소득에서 이런 소비는 사치다' 라는 사회적 통념을 들이대지 말자! 있는 그대로 보고 내가 왜 만족스러운지 왜 불만족스럽고 후회되는지 살펴보자.

가정경제 파악 실습

□ 자산

자산			
금융자산 (예적금, 주식, 펀드, 채권, 저축성보험등)			
항목	현재금액	월납입액	기타
금융자산 합계	-	-	
부동산 (주택,상가,전월세보증금,부동산지분 등)			
항목	현재금액	기타	
부동산 합계	-		
기타자산 (자동차, 귀금속, 빌려준 돈 등)			
항목	현재금액	기타	
기타자산 합계	-		
총자산 합계		-	

저축성 보험은 저축 목적으로 보험 가입을 했고 재테크 수단으로 선택한 것이라면 자산영역에 표시해도 된다. 다만, 납부 금액이 아닌 현재 해약 환급금으로 적어야 한다. 바로 해약했을 때 현금 가치가 해약환급금이니까.

펀드는 현재 적립금을 그대로 표시하면 된다. 내가 납입한 금액이 아니라 현재 평가금액, 주식, 채권도 마찬가지로 평가금액을 그대로 기재를 하면 된다. (P2P, 코인, 금 등 모두 현재 평가금액)

내 집이 없다고 부동산 자산이 없는 게 아니다.
전/월세 보증금도 부동산 자산이다. 거주 중인 집의 보증금을 적으면 된다. 보증금을 대출로 마련했다면 보증금 액수를 일단 부동산 자산 영역에 표시하고 해당 대출은 부채에 따로 표기하면 된다.

기타자산에는 자동차, 귀중품 등 물건값이 나가는 걸 적으면 되고 빌려주고 받을 돈도 자산이니 적으면 된다.

이제 평소 잘 드러나지 않아 놓치기 쉬운 자산을 살펴보자.

자신이 근로하고 있고 퇴직연금에 가입되어 있다면 그것도 차곡차곡 쌓이는 금융자산이다. 퇴직연금 중간에 정산받아 차 바꾸는 주변 사람들이 종종 있다. 그러니 그것이 자산 아니겠는가? 물론 국민연금도 마찬가지다. 퇴직연금과 국민연금 적립액도 금융자산 항목에 포함할 수 있다. 국민연금 사이트에서 '내 연금 알아보기' 항목을 활용하면 현재 적립금 내용을 확인할 수 있다. (은퇴 후 예상 연금액 확인도 가능하다)

주의할 점은 지금 쓸 수 있는 돈으로 생각하고 자산으로 적으라는 것이 아님을 명심하자!

은퇴자금을 위한 목적으로 마련되는 자산이다. 지금 쓸 수 있는 돈으로 생각하면 안 된다. 다만 은퇴 후 돈 없으면 어쩌나 불안한 생각으로 하루하루 사는 사람이라면 현재 쌓이고 있는 자산을 객관적으로 보고 그 다음 적절한 대응을 어떻게 할지 생각해 보라는 의미에서 살펴보는 것이다.

☐ 부채

부채			
신용대출 (카드론, 카드할부, 캐피탈, 대부업체 등)			
항목	현재금액	월상환액	기타
신용대출 합계	-	-	
담보대출 (주택, 자동차, 예금,보험담보대출 등)			
항목	현재금액	월상환액	기타
담보대출 합계	-	-	
기타대출 (지인, 사업자대출, 연체중)			
항목	현재금액	월상환액	기타
기타대출 합계	-	-	
총부채 합계			-
순자산 (자산-부채)			-

현재 보유중인 대출 내용을 적으면 된다.

신용카드 사용액 중 할부가 진행 중인 금액을 적으면 된다.
소비 항목 대부분 카드 결제로 한다면 소비 항목은 다음에 나오는
소비 항목에 적고, 가전제품, 가구 구입, 등 가격이 많이 나가
할부로 결제하고 매월 납입하고 있는 금액만 적으면 된다.
(이후 연 지출 작성 시 미리 표시해 중복 기입이 안되도록 하자)

담보대출이 아닌 신용조회만 하고 받은 대출이면 신용대출로 보면
된다.

보험, 혹은 내가 주택청약이나 예/적금 같은 내 예금 담보로
대출받았거나, 그리고 차량 등 어떤 물건이나 가치를 담보로
대출을 받았다면 담보대출 영역에 작성하면 된다. 주택 구입 할 때
받은 대출도 주택을 담보로 대출을 받은 것이기 때문에 여기에
작성하면 된다.

그리고 전월세 보증금 대출은 내 신용평가 후 주택금융공사에서

보증 후 대출되는 경우가 대부분이기 때문에 신용대출에 표시해도 무방하다.

은행에서 직접 전세자금 대출받은 경우에도 주택금융공사의 보증이 있다면 신용대출에 포함하면 된다.

친구나 지인에게 빌린 돈은 기타 대출에 적으면 된다.

순자산은 내가 가진 자산 전체금액에서 내가 가진 부채 전체금액을 뺀 후 남아있는 금액이 순수한 자산, 순자산이다.
만약 부채가 더 많다면 마이너스(-) 상황이다.
그러나 걱정할 것 없다. 이제부터 제시하는 방법으로 돈 관리를 시작하면 현재 상태를 객관적으로 바라보고 대처할 수 있을 것이다.

□ 보장성 보험

피보험자	보험 상품	월보험료	해약환급금
총 계			-

기타 (가족력, 보험가입 경위 등)

혹시 발생할 수 있는 손해에 대한 보장을 해주는 보험이 보장성 보험이다.

대표적으로 실손보험, 암보험, 생명보험, 자동차보험, 운전자보험 등 어떠한 상황이 발생하여 손해가 발생하였을 경우 정해진 금액을 보상한다 라는 내용이 들어 있는 것들은 보장성 보험이다.

월 얼마씩 저축을 몇 년 하면 연 복리 몇 퍼센트 이자를 지급한다는 내용만 있다면 저축성 보험이다.

종신보험이지만 최저보장 이율이 높아 보험 설계사들이 저축처럼 가입시키는 게 한때 유행이었는데 정확하게 따지면 내가 사망할 때 보험금을 받는 보장성(사망시 보장금액 지급) 보험이다.

본인이 재테크 목적으로 상품에 대해 잘 알고 가입했다면 모르겠지만 잘 모르고 가입했다면 해약할 경우 손해가 크다는 것은 알아 두길 바란다.

월정기지출 작성 요령

월정기지출은 말 그대로 매월 정해진 날짜에 정해진 금액이 나가는 소비 항목을 말한다. 정기적금처럼 금액과 날짜가 딱 정해진 소비 항목들을 정리하면 된다.

1. 주거비 중 전세보증금이나 주택담보대출 이자를 월세로 생각하고 적으려고 하는 사람도 있다. 대출은 부채란에 적으면 된다.

2. 요즘은 월 구독 서비스가 많다. OTT 나 다양한 앱을 정기적으로 결제하는 방식이 많다. 식비와 관련된 것이 아니라면 통신비 항목을 활용하면 된다. 그래서 통신비에 넣어두었고 항목을 구분하고 싶다면 빈칸을 활용하자.

3. 고정된 용돈은 정기적으로 지급하는 용돈을 말한다. 자녀 용돈을 월에 정해진 날짜에 정해진 금액을 준다면 해당한다. 부모님에게 용돈을 드리는 경우도 해당한다.

4. 공공보험 항목은 월급에서 자동 공제되는 사람은 적을 필요가 없다.

5. 종교적으로 매월 헌금(십일조 등) 하는 사람은 월정기지출에 적으면 된다. 상황에 따라 분기나 1년에 한 번 하는 사람은 월 수시지출이나 연 지출에 표기하면 된다.

6. 정기적으로 지출이 되는 것은 맞는데 딱 들어맞는 항목이 없었다면 기타 항목에 표기하면 된다.

7. 저축과 투자 항목에서는 본인의 은행 예·적금 금액 모두를 저축에 표시하면 되고 투자와 관련된 금액(현재 표시 금액), 투자 란에 합계 금액을 적으면 된다. 주식, 채권, 펀드, P2P 금융, 금, 코인 등 시세에 따라 자산 가격이 변하는 것 모두 투자에 적으면 된다.

8. 만약 자신의 퇴직연금이 D.C 형이고 IRP 계좌를 직접 운용한다면, 공제금액 이외에 추가 납입한다면 그 금액도 투자 항목에 포함하면 된다.

□ 월정기지출

구분	지출사항	지출	구분	지출사항	지출
주거비	월세		대출상환	신용대출	-
	관리비			담보대출	-
	전기			기타대출	-
	수도			합계	-
	가스(난방)		공공보험	국민연금	
	렌탈			건강보험료	
				합계	-
	합계	-	민영보험	저축성보험	
통신비	본인휴대폰			보장성보험	-
	가족휴대폰			합계	-
	인터넷, TV		회비/기부	모임회비	
	구독서비스			회사회비	
				종교	
	합계	-		기부	
교육비	어린이집,유치원				
	방과후			합계	-
	학습지		기타	신문,우유 등	
	학원				
	과외			합계	-
			저축투자	저축	
	합계	-		투자	
고정된용돈					
				합계	-
			월고정합계		-
	합계	-			

월정기출에서 만족스러운 소비 항목은 무엇인가?

월정기출에서 불만족스러운 소비 항목은 무엇인가?

월수시지출 작성 요령

　월수시지출은 월정기지출과 다르게 그 횟수가 정해져 있지 않고 그때그때 수시로 지출되는 항목을 말한다.

매월 지출되지만 정기적으로 지출되는 항목이 아니므로 내가 잘 따져보고 금액 확인을 해야 한다.

1.　식비, 생활용품 항목
- 대형마트와 동네마트가 다 같은 마트인데 그냥 하나에 적으면 안 되나? 생각할 수 있다. 안된다. 대형마트와 동네 마트는 상품구성이 다르고 마케팅 전략이 다르다. 대형마트는 대부분 대기업에서 운영 중이고 그 전략이 매우 치밀하게 계산되어 있다.
- 오아시스, 마켓컬리 등 앱을 통해 식품 주문을 하는 경우, 다른 해당하지 않는 항목을 지우고 항목을 만들어 금액 표기를 하면 된다.
- 기호식품에는 술, 담배 등이 있다.

- 예시) 내 편의점 한 달 소비 금액을 파악하려고 할 경우 한번 갈 때 평균 금액을 먼저 확인한다. 먼저 일주일에 몇 번 가는지 확인한다. 방문할 때 주로 결제된 금액을 확인한다. 그러면 대략 1 주일에 편의점 사용 금액이 나온다. <u>1 주 편의점 평균 사용 금액 X 4 주 하면 1 달 편의점 사용 금액을 짐작할 수 있다.</u>

- 카드 명세서 보고 일일이 편의점 소비 내용만을 뽑아 합계를 확인하면 가장 좋지만 확인이 어려운 사람은 위 예시와 같은 방법으로 파악하면 된다. 마트, 배달 음식, 점심값이나 커피값 확인도 위 예시와 같은 방식으로 하면 된다.

2. 문화비

- 친구 만나는 횟수, 데이트하는 횟수를 먼저 파악하고 만날 때 평균 사용 금액을 따져본다. 횟수 X 사용 금액 해서 월 얼마 정도 나오는지 파악이 가능하다. 그런데 여기서 데이트할 때 만나서 밥 먹고 차 마시고 영화를 본다고 할

때 영화비 따로 적고 식비에 밥값 따로 적고 데이트 비용으로 또 적으면 중복으로 기재하게 되므로 만약 데이트나 친구 만나는 경우에는 그 항목에 사용 금액만 적고 다른 소비 항목에 적지 않는다.

3. 자녀 비용
- 자녀를 위한 용돈 중 먼저 월 정기지출에서 매월 일정하게 주는 금액을 적지 않고 그때 그때 필요한 상황이 있을 때 마다 준다고 하면 월 수시지출에 적으면 된다. 월평균 용돈 지급 횟수를 따져보고 (잘 모를 땐 일주일 단위부터) 지급하는 평균 금액을 확인후 평균금액 X 횟수 하면 된다.

4. 교통비
- 대중교통을 주로 이용할 경우 평균 대중교통 결제 금액을 보면 월 사용 금액을 알 수 있다. 자가용을 이용하는 경우 평균 주유하는 금액이 보통 비슷하므로 횟수와 평균 금액을 확인하면 쉽게 파악이 가능하다.

5. 의료비

-   정기적인 병원 방문이 있는 경우, 정기적으로 처방 받아 약 먹어야 하는 경우에 매월 지출될 때만 적으면 된다. 1 년에 가끔 병원 가서 약 타는 경우는 연 지출 항목에서 적으면 된다.

6. 기타

-   월 수시 지출이긴 한데 다른 항목 분류에 마땅히 적을 곳이 없었다면 여기에 항목을 쓰고 적으면 된다.

-   피트니스 센터 같은 시설을 이용할 경우 일반적으로 월 단위 결제하지만 6 개월이나 12 개월 결제 할인 받은 경우 결제한 개월 수만큼 나눈 금액을 항목에 적으면 된다.

-   반려동물 비용도 사료나 패드 등 몇 개월에 한 번씩 구매하는 경우 해당 개월 수로 나눈 후 월 해당 금액을 표시하면 된다.

□ 월수시지출

구분	지출사항	지출	구분	지출사항	지출
식비생활용품	대형마트		교통비	본인 대중교통	
	동네마트			가족 대중교통	
	간식(편의점)			주유비	
	배달음식			주차비	
	점심값			택시	
	기호식품			대리운전	
	커피			톨비	
	합계	-		합계	-
문화비	영화/공연		의료비	건강보조식품	
	도서구입			병원비	
	친구			약값	
	데이트				
				합계	-
	합계	-	기타	세탁비	
자녀비용	분유			애견	
	기저귀			피트니스,요가	
	육아도우미			헤어(남성)	
	용돈(수시)				
	학용품				
	교재비				
	책구입			합계	-
			월수시합계		-
	합계	-			
월지출합계 (월고정+월수시)					-

월수시지출 항목 중 만족스러운 항목은 무엇인가?

월수시지출 항목 중 불만족스러운 항목은 무엇인가?

연지출 작성 요령

연지출 작성은 '머니맵'에서 매우 중요하다. 그러니 한번 잘 작성해 보자.

일단 연지출은 말 그대로 매월 발생하지는 않지만 연중에 꼭 발생하는 지출이다. 그래서 연 단위로 생각해야 한다. 12개월 중 언제, 그리고 몇 회 발생하는지 생각하고 금액과 횟수를 곱한 금액을 구하면 된다.

여행, 가전제품, 고가의 가방이나 의류 등 카드 할부 결제 항목이고 <부채시트지>에 기재했다면 연지출 항목 금액은 따로 표시를 해두자. 각 항목에 각 금액을 적어두고 연지출 합산에 포함하지만 총지출에서 부채항목으로 미리 기재한 매월 갚는 할부 금액과 중복되면 안 된다.

- 예) 부채 항목에 매월 30 만원 카드 할부 금액을 적었다. (세탁기 할부 월 10 만, 가방 월 10 만, 여행결제 월 10 만)

- 모두 연지출 항목이어서 연지출 영역에 같은 항목으로 금액을 적어 두었다면 총지출을 구할 때 부채나 연지출 하나의 영역만 금액을 반영해야 중복되지 않는다.

1. 자동차 유지비
- 자동차 관련된 금액 파악 후 기재하면 된다. 가끔 발생했던 벌금이나 차량 수리비 등을 기재하면 된다. 차량 수리비에는 자동차를 유지하는 데 필요한 타이어 교체, 오일교체 등 관련 항목도 포함이다.
- 만약 자동차보험료를 매월 납부하고 있는 경우 월정기지출에 적고 연지출 항목에는 적을 필요 없다.

2. 의료비
- 월 지출에서 기재하지 않은 의료비이다. 아주 가끔 병원에 간다거나 분기마다 약을 타러 병원에 간다거나 하는 경우 적으면 되겠다. 본인이 부모님 의료비를 감당하지 않는다면 적지 않아도 된다.

3. 의류비

- 의류비는 대략 계절별로 파악해 보는 것이 다. 수시로 인터넷 사이트에서 저가 의류를 구입하는 경우는 월 수시 지출에 반영하는 것이 더 좋다. 의류 종류는 보통 계절이 바뀔 때 사는 경우가 많으니 계절별 의류 소비 금액을 파악해 1 년 합산해 보면 어떤 계절에 많이 사는지 알 수 있다.

4. 미용

- 보통 여성들은 헤어 비용이 매월 발생하는 경우가 많지 않기 때문에 헤어 비용을 연 지출에 적으면 된다. 화장품 소비 금액은 일단 기초, 색조, 등 종류별로 구분하고 몇 개월 주기로 사는지 파악하면 된다.

예) 기초화장품 10만원, 3개월주기 구매, 1년에 4번정도 구매하게 된다. 따라서 연지출은 40만원이다.

가족 구성원을 위한 화장품 구매나 미용 관련 비용이 있다면 전체 합을 가족화장품 란에 적으면 된다.

5. 교육비(비정기)

-   월에 정기적으로 들어가는 교육비가 아닌 학기제 같은 교육비를 적으면 된다. 그 외에 자기 계발을 위한 강좌나 교육, 수련회, 체험학습 등 필요한 비용도 여기에 포함된다.

6. 세금

-   몹시 어려운 부분은 없을 것이고 연중에 한번 고지서에 표시된 금액 확인 후 적으면 된다.

-   이 항목에 없는 금융투자소득세, 보유세 등등 항목은 자산으로부터 발생하는 세금이기 때문에 재산세에 모두 포함해도 무방하다.

7. 경조사

-   해마다 돌아오는 이벤트 항목들이다. 결혼한 가정 같은 경우 부모님 생신, 어버이날 행사는 양가 부모님 비용을 모두 적으면 된다.

- 종교 관련 항목 – 가끔 특별한 절기나 1 년치 계산해 한번에 헌금하는 사람은 월지출이 아닌 연지출에 적으면 된다.

8. 각 항목별로 합계를 적어보자. 그래야 어떤 항목에 얼마의 금액이 사용되는지 알 수 있다. 각 항목별 합계를 모두 더해주면 연 지출 합계를 구할 수 있다. <u>이 다음이 중요하다.</u>

9. <u>연 지출 합계액을 12 개월로 나누는 과정이 있다. (연지출합계/12) 이렇게 되어 있는 칸에 12 로 나눈 금액을 적는다.</u>
   예시) 연 지출 합계액 3,600,000원 / 12
   = 월환산액 300,000원
   1년 동안 연지출 사용한 금액을 각 월에 반영하면 얼마정도 지출금액이 되는지 가늠해 볼 수 있다.

10. 총지출 합계 칸이 남아있을 것이다.

- 미리 구해둔 월지출합계 + 연지출 월환산액

  = 총지출이 된다.

- 이 총지출이 바로 내가 혹은 우리 가정이 한달에 쓰는 돈의 총 금액이라고 생각하면 된다.

- 만약 파악한 총지출이 너무 적어 이상하다 싶으면 분명 놓친 항목이 있을 테니 다시 점검해 보자. 만약 너무 마이너스가 크다면 월지출과 연지출에서 중복 기재된 항목이 있었는지 파악해보자. 그리고 다음 '수입' 부분에서 확인해보면 어느 정도 이해가 될 수도 있다.

□연지출

구분	지출사항	지출	구분	지출사항	지출
자동차유지비	자동차수리비		교육비 (비정기)	등록금	
	자동차세금			소풍/수학여행	
	과태료 등			교재비	
	환경개선부담금			학원/수련회	
	자동차보험료			합계	-
			세금	재산세(7월)	
	합계	-		토지세(9월)	
의료비	가족 의료비			주민세	
	부모님의료비			합계	-
			경조사	지인 경조사	
	합계	-		친인척 경조사	
의류비	본인의류비			부모님생신	
	배우자의류비			가족생일	
	자녀의류비			설 (2월)	
	신발/악세서리			어린이날 (5월)	
	세탁비			어버이날 (5월)	
	합계	-		추석 (9월)	
미용	가족화장품			김장 (11월)	
	헤어(여성)			종교 관련	
	사우나,찜질방			휴가,여행	
	합계	-		합계	-
연지출합계		-	월환산액 (연지출합계 /12)		-
총지출합계 (월고정+월수시+연지출월환산)					-

연지출 항목중 만족스러운 항목은 무엇인가?

연지출 항목중 불만족스러운 항목은 무엇인가?

소득 작성 요령

이제 소득을 작성해 보자.

소득에는 크게 근로소득, 불로소득이 있다. 보통 내 노동으로 발생하는 소득이 근로소득이다. 자영업자이거나 개인사업자, 혹은 프리랜서도 자신이 일을 해서 돈을 번다면 근로소득에 해당한다고 보면 된다.

불로소득은 노동이 아닌 다른 것으로부터 얻어지는 소득을 말한다. 금융소득(이자, 투자, 배당수익 등), 월 임대료, 저작권료, 사업체 운영에 따른 소득(프랜차이즈 가맹점비 같은 사업 시스템에서 발생하는 소득) 등이 그런 소득이다. 본인 상황에 맞는 소득 종류를 적으면 되겠다.

월 정기소득은 고정 수입 칸에 적으면 된다.

매월 일정하게 들어오는 수입이 아닌 몇 개월에 한 번씩, 가끔 어쩌다 들어오는 수입은 변동 수입에 적으면 된다.

변동 수입 중에 우리가 놓칠만한 것들은 뭐가 있을까? 생각해 보자.

명절 보너스, 성과급, 인센티브, 직장인 연말정산, 종합소득세 신고 후 세금 환급액, 돈 빌려주고 받은 이자, 우연히 받은 용돈, 선물 들어온 거 재판매 금액 등 평소 일정하게 발생하는 수입이 아니고 어쩌다 발생한 수입은 변동 수입에 적으면 된다.

변동 수입의 1년간 총합계를 12로 나눈다. 12로 나눈 금액을 변동 수입 월 환산 칸에 적으면 된다.

자 그러면 월평균 수입은 월 고정 수입 합계 + 변동 수입 월 환산이다.

예)

고정 수입 합계 2,800,000원 + 변동 수입 월 환산 300,000원 = 월평균 수입 3,100,000원

자 이제 위에서 확인한 총지출을 월평균 수입에서 빼주면 된다. 그러면 수지 차를 확인할 수 있다.

어떤가? 플러스인가? 마이너스 인생인가? 마이너스여도 걱정할 필요 없다. 이제부터 나오는 해결책을 잘 실행해 보자

□ 소득

고정수입			변동수입		
소득종류	소득자	실수령액	소득종류	소득자	실수령액
고정수입 합계		-	변동수입월환산		-
			월평균 수입		-

□ 수지차

월평균수입 - 총지출		-

□ 무형의 자산

구분		나쁨	나쁜편	좋은편	좋음
건강	가족건강	①	②	③	④
	스트레스	①	②	③	④
미래	직업흥미도	①	②	③	④
	직업안정성	①	②	③	④
	발전가능성	①	②	③	④
관계	남녀관계	①	②	③	④
	가족관계	①	②	③	④
	사회적관계	①	②	③	④

1. 만족스러운 소비항목은?

2. 불만족스러운 소비항목은?

무형의 자산

무형의 자산은 수치로 확인할 수 없지만 자신이 가지고 있는, 그리고 어떤 상황에서는 사용도 가능한 자산을 말한다.

건강 – 건강하지 않으면 일을 할 수 없다. 건강하다는 것은 정말 큰 자산이다. 본인이 다른 재주는 없는데 건강하다면 이미 엄청 좋은 자산을 가지고 있다. 다른 재주가 없다고 낙심할 필요가 없다. 아이디어는 많은데 뭘 하려고 시작만 하면 건강이 항상 문제가 되는 사람도 있다. (내가 그랬다)

미래 – 지금의 직장이나 직업에서 만족하지 못하고 있다면 어떨까? 이 회사의 발전 가능성이 작다면 어떨까? 내가 지금의 회사를 계속 다닌다고 해도 내 미래 발전 가능성 큰가? 단순 연봉 올라가는 것 말고 말이다. 그런 걸 한번 생각해 볼 수 있는 항목이다. 만약 직장도 만족스럽고 맡은 업무도 괜찮고 회사도 발전 가능성 있는 산업군이라면 어떨까? 리더가 마인드도 좋다. 그러면 나는 내 미래에 대한 도전을 지금 회사에서 꿈꿔도 좋겠다는 생각이 들

것이다. 반대라면 결단이 필요할 수도 있다.

관계 - 내가 현재 주변 관계에 문제가 있다면 나의 에너지의 상당 부분 누수 될 수밖에 없다. 반대로 가족이나 주변 사람과 관계가 좋다면 내가 사회생활에서 큰 시련을 겪는다고 해도 정서적 지지자가 있다. 이렇게 나에게 정서적 지지를 해줄 주변 관계가 있다면 나는 돌봄을 받을 수 있다. 내가 때로는 힘든 일, 실패를 겪더라도 돌봄을 받는다는 것은 '회복탄력성'이 작동될 수 있는 기초는 만들어져 있다고 생각하면 된다.

작성이 끝났다면 내 마음을 들여다보자.

어떤 항목이 가장 기억에 남는가?

아주 불편한가? 아니면 아주 만족스러운가?

혹시 소비항목 중 이런 소비는 왜 발생하게 된 거지? 하는 소비 항목이 있었나? 아니면 아 이 소비는 지금 생각해보니 전혀 만족스럽지도 않고 돈 아까운데 그땐 왜 했지? 하는 생각이나 감정이 드는 소비가 있는지 보자.

그걸 발견했다면 이미 이 과정에서 70% 이상 성공한 것이다.

내가 처음 '머니맵'을 작성할 때 30대 중반이었는데 나는 충격적이었다.

'내가 내 돈을 어떻게 쓰는지 이렇게나 몰랐다니…'

'난 지금까지 돈을 어떻게 쓰고 살아왔던 걸까…'

'이 도구 도대체 뭐지? 왜 난 지금까지 이런 걸 몰랐지?'

나도 학창 시절 가계부라는 걸 써봤는데 그런 것과는 정말 차원이 다른 느낌이었다. 그러니 이 책을 읽는 20~30대는 나보다 앞으로 가능성이 아주 높다고 생각해도 된다.

이건 일반 가계부랑 비슷하게 느껴질지 모르겠지만 완전 다르다. 가계부는 내가 지출한 내용을 형식 없이 그냥 적기 때문에 항목 구분이 없고 지출의 성격이 구분되어 있지 않다.

물론 요즘 앱으로 가계부가 있어 항목 정리는 가능할 수 있다. 위 소비 항목을 적으면서 느꼈을 수도 있는데 그런 앱에서 소비 항목 구분한 것과 내가 직접 소비 항목을 따져 보며 금액을 확인한 것에는 차이가 있음을 알 수 있다. 앱을 통한 가계부는 정서적 연결체가 없다. 하지만 직접 횟수와 금액을 따져보면서 파악한

'머니맵'은 나에게 다르게 느껴질 것이다. 그리고 계속되는 설명을 읽다 보면 앱이 해결할 수 없는 것들을 '머니맵'을 통해 많이 해결할 수 있을 것이다.

그 기능의 첫 번째는 소비만족감 확인이다.

먼저 소비 항목별 소비만족감을 확인해 보자.

예를 들어 식비에 대한 소비만족감을 생각한다고 할 때 식비에 대해서 5점 만점으로 점수를 준다면 몇 점 줄 수 있을지 생각해 보는 것이다.

'식비가 생각보다 너무 많이 나오는데'라는 생각이 든다면 소비만족감 점수가 5점 나오기는 힘들 것이다.

좀 더 세부적으로 볼 때 커피 소비 금액이 너무 많이 나온다고 생각될 수도 있다.

어쩌면 지난 주말 친구와 치맥 한잔했는데 술 마시고 기분 좋아 내가 계산했다. 지금 와서 생각해 보니 그때 왜 그랬지? 하는 후회가 밀려올 수도 있다.

실제로 예전에 상담 받은 사람 중에 게임 회사의 개발자였는데 자신의 한 달간 커피 사용 금액을 보고 깜짝 놀랐다. 스타벅스 음료를 하루에 3~4잔 마시는 사람이었는데 본인이 인지하지 못하고 있었기 때문이다. 신기한 건 주말에는 음료 사용 금액이 별로 없었다. 출근해서 회사에서 근무할 때 습관처럼 스타벅스를 이용했다. 어쩌면 이 사람은 스타벅스라는 브랜드에 자동 구매되는 상황이었는지 모른다.

코카콜라만 마시는 사람은 펩시콜라를 마시지 않듯.

어떤 사람은 자신의 택시비 항목을 보고 놀라는 사람도 있었다.

한 달간 택시비를 이렇게 많이 쓰는지 몰랐다고 했다. 자신이 생각해 보니 늦잠 자서 출근 시간 늦을 것 같을 때, 시간 약속을 너무 느긋하게 생각하다 급하게 가야 할 때 택시를 타곤 했다는 것이다.

이런 사람도 있었다.

자신의 소비 항목을 보니 슬프고 기분이 안 좋다고 했다.

자신이 살펴보니 옷 사는 비용도 거의 없고 여행비용도 없고 자신을 위해 사용하는 돈도 거의 없어 '나는 뭘 위해서 사나?'

'누굴 위해서 사는 거지?'라는 생각이 든다고 했다.

그래서 주부들을 상담할 때 종종 이런 솔루션을 제공한다.

꼭 자신만을 위한 용돈을 만들라고! 보통 주부들은 자신의 용돈을 따로 두지 않는다.

첫 번째 이유는 일단 집안의 돈은 모두 자신이 관리하는 돈이니 따로 둘 필요가 없다고 생각한다.

두 번째 이유는 첫 번째와 전혀 다른 근거다.

본인이 살림을 도맡아 하는 경우 본인까지 용돈을 따로 쓰는 게 왠지 미안한 마음이 들어서 그렇게 따로 정해두지 못한다.

그런데 정서적 측면으로 접근해도 당연히 용돈을 정해 놓는 것이 좋고 재무적 측면에서도 주부들은 따로 용돈 책정을 해두고 온전히 본인만을 위해 쓰는 것이 좋다. 정해진 용돈이 없는 상황에서도 주부들은 친구와 차도 마시고, 옷이 필요하면 옷도 산다. 그럼 차라리 본인만을 위한 용돈을 정해놓는 것이 정서적으로 훨씬 좋다. 진짜 딱 한 달이라도 해보면 안다.

이렇게 소비 항목에 대한 소비만족감은 금액으로 확인했을 때

수치상 만족 여부를 확인할 수도 있지만 정서나 감정으로 바라보고 확인할 수도 있다.

그렇게 하면 된다. 나의 소비 만족감을 확인하고 그 항목에 대한 생각이나 느낌을 말로 표현해 보자.

(최대한 상담 시 대화하는듯한 느낌으로 집중해서 해본다면 분명 효과 있을 것이다)

다음 질문에 답을 자신에게 말이나 글로 표현해 주면 된다. 말은 반드시 목소리가 들리게 표현해 주는 게 핵심이다.

질문

먼저 가장 만족스러운 지출 항목은 어떤 항목일까요?

왜 그 항목이 가장 만족스러운가요?

과거에 이 소비 항목과 관련된 기억이나 경험이 있나요?

그렇다면 가장 불만족스러운 지출 항목은 어떤 항목일까요?

왜 그 항목이 가장 불만족스러운가요?

과거에 이 소비 항목과 관련된 기억이나 경험이 있나요?

만족스러운 항목과 불만족스러운 항목을 정하고 이유를 파악해 보았는데요.

그러면 그 항목에 대한 금액이나 횟수는 어떻게 하고 싶으세요?

늘리고 싶으세요? 줄이고 싶으세요?

금액을 늘리고/줄이고 싶다면 얼마를 늘리고/줄이고 싶으세요?

횟수는 몇 번으로 하면 적당할 것 같으신가요?

아 그렇게 금액과 횟수를 조정하면 적당하다고 생각하세요? 그렇게 생각한 이유는 뭘까요?

자 위 질문에 대한 답을 하며 왜 그런 생각이나 느낌이 드는지 이유를 글로 쓰거나 말로 표현해 봤을 것이다.

아주 잘했다. 당신은 정말 멋지고 용기 있는 사람이다!

이제 여기까지 제대로 해왔다면 아마 느낄 것이다.

나의 '소비 의사 결정'이 나의 정서와 심리, 가치관, 경험, 태도 등이 반영되어 있다는 것을 말이다.

특히 이유를 나 자신에게 설명할 때 '아 이런 이유가 있었구나' '나는 평소 이런 걸 원하는 구나!' 라는 깨달음이 있었을지도 모른다.

그러면 돈을 쓰는 행위를 통해 내 감정이나 심리 상태도 변화시킬 수 있을까?

궁금할 것이다.

그러면 우리 다음 실습을 시도해 보자.

만족감 느끼는 돈 쓰기 실습
(소비감정 마주하기)

일단 현금 3만원을 준비하자. (5만원이나 10만원도 괜찮다.)

3만원의 기준은 금융 취약계층(자활센터 참여자, 생계급여 수급자 등) 상담할 때도 준비가 가능한 금액이었기 때문이다.

3만원 현금을 확보했다면 이제 가만히 눈을 감아보자.

평소 나에게 잘해준 사람,

요즘 고마움을 표현하고 싶은 사람,

내가 한 번쯤 용기 주고 싶은 사람,

위 사람들을 한번 떠올려보자.

이 사람 중 1명 이상 떠올랐다면 이제 준비가 끝났다.

전화해서 이렇게 말하면 된다.

[○○야]

내가 요즘 나에게 (고마운 사람)에게 차 한 잔 사려고 생각해 봤는데 네가 떠오르더라.

그래서 차 한잔(밥 한번) 사고 싶은데 시간 괜찮아?

이렇게 전화 통화를 하고 약속을 잡으면 된다. 이왕이면 1주일 이내에 약속을 잡는 것이 좋다.

떠오른 사람이 한명 뿐이어도 상관없다. 한명에게 좋은 찻집에 가서 3만원 정도 둘이 차 마셔도 되고 밥을 사도 된다.

3명에게 각각 예산 1만원 잡고, 3명 만나는 게 제일 좋지만 1명만 떠올라서 더 이상 생각나지 않는다면 그것도 괜찮다. 떠오르지 않는다고 머리를 쥐어뜯을 필요까진 없다.

위 예시 내용은 상황에 맞게 알아서 잘 활용하길 바란다.

자 통화를 마치고 난 후 지금 기분이 어떤가?

아직 직접 만나고 차를 마신 건 아니지만 기분이 좋아졌나?

우리 뇌는 계획을 성취했을 때도 '도파민' 물질이 나오지만 그

목표에 대한 계획을 할 때도 '도파민' 물질이 나온다. 그 계획이 성취되었을 때를 상상하며 계획하기 때문이다. 즉 지금 만남을 계획하고 약속을 잡았을 뿐이지만 나의 뇌는 지금 행복 물질을 내뿜고 있는 것이다.

만약 3명에게 전화해서 약속 잡는 실행을 하지 않고 눈으로만 읽으며 따라온 사람의 경우는 기분이 어떤가? 강렬함은 떨어질지 모르지만 그래도 기분이 좋아졌을 것이다. 글을 읽으며 고마운 사람을 나도 모르게 떠올려 보았을 것이고, 전화하며 대화하는 상상과 나와 그 사람의 차 마시는 장면을 떠올려 보았을 수도 있다.

요즘엔 뇌 연구가 활발해져서 뇌의 '신경 가속성' 연구가 많이 되었는데 과학자들은 생각이 실제로 뇌의 물리적 구조를 바꿀 수 있다는 사실을 발견했다. 다시 말해 무언가 상상하고 실제 한 행동처럼 생각으로 이미지를 상상만 해도 실제 그렇게 행동하고 실행한 것처럼 뇌는 반응한다는 것이다.

우리 뇌는 이렇게 직접 그 상황을 경험하고 행동할 때도 신경전달물질이 분비되지만, 그 상황을 상상하는 것만으로도 똑같이 신경전달물질이 분비된다는 말이다. 그래서 당신이 글을 읽으며 누군가와 차 마시며 대화하는 장면을 떠올렸다면 그것이 실제 내가 겪는 사실처럼 신경전달물질이 분비되었을 것이고 기분을 좋게 만들었을 가능성이 있다.

이번에는 반대로 누군가가 나에게 전화해서 위 상황처럼 "○○야 내가 고마운 사람에게 차 한잔 사려고 생각했는데 네가 떠올라서 전화했어~" 라고 말한다면 어떨까? 내 기분이 어떨 것 같은가? 상상해 보니 좋지 않은가? 그 사람이 되게 고맙게 느껴지지 않나? '나에 대해서 그렇게 생각하고 있었구나' 라는 생각이 들 것이다.

내가 내 돈을 써서 누군가의 기분을 좋게 만들고 상대방은 나의 그런 행동에 감동하고 감사하다고 말하며 감탄하게 되는 것이다. 정리하면 내가 계획한 3만원으로 내가 누군가에게 아주 좋은 사람이 될 수 있는 것이다. 3만원이라는 돈이 엄청 큰돈은 아니지만 그 돈으로도 이렇게 나는 고마운 사람, 좋은 사람이 될 수 있다.

감사는 타인에 대한 긍정, 세상에 대한 긍정의 감정이다. 내가 누군가로부터 감사하다, 고맙다는 말을 자주 듣는다면 나는 이 세상에서 긍정적 존재이며 쓸모 있는 사람인 것이다. 결국 나에 대한 긍정으로 이어진다. 나에 대한 긍정은 자기 효능감이 생기는 첫 단계이다. 자기 효능감은 자아 존중감으로 이어진다. 나 자신이 지금 상태로도 괜찮게 느껴지는 것, 지금 모습 그대로 자신을 사랑할 수 있는 것 말이다.

행동이 바뀌려면 의지가 있어야 하는데 그 의지는 감정에서 온다. 내 감정이 긍정의 감정으로 바뀌면 지금의 나보다 더 나은 사람이 되고자 하는 의지가 생기고 그러면 행동이 바뀌고 행동이 바뀌면 내 상황이 바뀌기 시작한다. 당신의 돈을 그런 방식으로 쓰면 된다. 내 인생을 도와줄 돈 쓰기는 그런 것이다. 이제 '나 다운 돈 쓰기' 제대로 해보고 싶지 않은가? 돈을 더 벌면 모든 돈 문제에서 벗어날 수 있을 것이라 생각했고 그래서 돈을 더 벌려고만 생각했다면 이제 돈 관리 기술을 제대로 익혀보자!

그것이 경제적 자립으로 가는 첫 번째 단계이다!

경험소비 vs 물질소비

EBS 다큐 '자본주의'에서 아이들 대상으로 실험을 진행했다. A, B 팀으로 나눠 각각 아이들에게 5만원씩 주고 소비하게 했다. A팀은 대형 쇼핑몰에서 쇼핑했다. 아이들은 곰 인형, 장난감, 축구공, 문구류 등 돈에 맞춰 다양한 물건을 샀다. B팀은 강화도로 여행을 떠났다. 거기서 다양한 체험 활동을 했다.

3주 후 다시 아이들에게 행복도와 만족도를 확인한 결과 B팀은 3주 전에도 A팀보다 행복도와 만족도가 높았는데 3주 후에도 A팀보다 행복도와 만족도가 높았다. 이렇게 경험 소비는 물질 소비보다 그 행복도와 만족도가 훨씬 높다. B팀 아이들은 친구들과 추억을 쌓았고 그 추억은 고스란히 기억속에 저장되어 있다.

아동양육시설에서 위 실험처럼 가끔 이렇게 일정 금액을 주고 한 번에 아이들을 데리고 나가서 쇼핑하게 하는 경우가 있다. 위 사례처럼 아이들에게 썩 좋은 효과를 나타내지 못한다. 이유는 위 실험에서 보듯이 아이들은 일단 공짜 5만원을 받았다고 생각한다. 그 돈이 크리스마스처럼 특별 지원 형태의 외부 후원금이던, 자신의 통장에 있던 저축된 금액이던 상관없다. 그 금액에 맞춰 내가 처한 환경에서 소비할 뿐이다. 그곳이 대형마트면 대형마트에서, 동네 마트면 동네 마트에서 눈에 보이는 것 중에 5만원 맞춰서 그냥 구매할 뿐이다. 나에게 필요한 물건인지, 내가 진짜 원하는 물건인지 생각해 보고 고민하고 구매결정 하는 과정이 없다는 것이다. 결국 시간 지나면 집안 한구석에서 굴러다니는 신세가 되거나 먹을 것이면 먹고 그냥 다 잊곤 한다.

위 사례는 모두 특수한 상황이지만 일반적으로도 물질소비한 후 그 대상에 대한 적응이 빠르게 일어난다. 집에 가전제품 바꿨을 때 이전보다 더 편리하고 엄청 좋다. 없던 가전제품을 새로 구매하였을 때는 더 그렇다. 하지만 한 달 지나면 어떤가? 계속 즐겁고 기쁜가? 아마 빠르면 일주일 만에 적응되어 큰 감흥이 없을지도 모른다. 새 차를 사도 1년 내내 탈 때마다 좋아서 신나는 사람은 거의 없을 것이다. 새집으로 이사를 가도 비슷한 이치다.

그러니 우리가 일상에서 소비하는 소소한 물건들은 어떨까?
화장품, 사무용품, 주방용품 등 대부분 소비하고 나서 만족감이 금
방 사라지는 것들이다.

경험 소비는 내가 경험하고 체험하고 남는 기억이 있다. 이 기억은
있는 사실로만 이뤄진 것이 아니다. 가만히 자신의 옛날 기억을 떠
올려 보라. 기억은 사실+감정이다. 다시 말해 경험 소비는 그 경험
안에 감정도 들어가 있다. 어떤 물질 소비는 물론 그 소비에 감정이
들어 있을 수 있다. 다만 경험 소비가 그 농도와 강도가 훨씬 높다
는 것이다. 그래서 경험 소비는 시간이 지나서 돌이켜봐도 그때의
감정이 느껴지기 때문에 행복도와 만족도가 높은 것이다.

우리가 돈을 쓰면서 궁극적으로 원하는 것은 무언인가? 아마 행복
해지길 바랄 것이다. 돈을 더 벌고 싶은 이유도 아마 더 벌면 물질
적으로 풍족해질 거고 그러면 행복할 것이라 생각 할 수 있다. 그런
데 위 실험에서 살펴보았듯 행복감과 만족감을 더 느끼게 해주는
소비는 물질 소비보다는 경험 소비이다.

좋은 사람과 차 한잔하며 대화 나눴던 그 시간, 좋은 공연을 보고 마음이 흡족했던 그 기분, 내가 원하던 여행지를 여행하며 설레던 그 경험, 원하던 새로운 것 배울 때 기대되던 그 감정 등 이 그런 것이다.

평범한 우리 일상에서 그런 소비를 찾아야 한다. 평범한 일상에 소소한 행복감을 줄 수 있는 소비를 곳곳에 배치해 두자. 행복하다고 느끼는 사람은 행복의 크기로 결정되는 것이 아니라고 한다. 행복의 빈도수가 높을수록 행복하다고 느낀다고 한다. 평범한 일상에서 내가 만족감을 느끼고 행복감을 느끼는 그런 소비를 의도적으로 계획하고 설정한다면 어떨까? 시간이 지나도 입가에 미소가 번지는 그런 행복 소비.

이제 우리 행복 설계를 해보자. 미래 설계는 행복 설계이다. 내 인생에서 행복감을 느끼게 하는 장치를 계획하자.

4. 내 인생 바꾸는 미래 설계

설계도가 필요한 이유

당신이 집을 짓는다고 생각해 보자. 집을 지으려고 벽돌, 시멘트, 각종 자재를 준비하고 집을 짓기 시작한다. 그러다 문제가 발생한다. 화장실을 어디에 배치해야 할까? 주방은 어떤 모양으로 하는 게 더 효과적일까? 입구에 문턱을 설치하는 게 좋을까 없는 게 좋을까? 등등 생각해 보니 세밀하게 생각해 놓지 않았다는 것을 깨달았다.

집, 그냥 지어도 지을 수 있다. 하지만 내가 진짜 원하는 집을 지으려면 내 성향과 내 생활 패턴이 반영된 집을 지어야 한다. 설계도 없이 집을 짓다 보면 집 짓는 중간마다 잘못된 부분을 헐고 다시 만들어야 하고 어떤 것이 빠졌다면 다시 그걸 넣기 위해 변경해야 한다.

그래서 설계도가 필요하다.

사전에 충분히 내가 원하는 것들이 뭔가? 생각하고 그 생각이 반영되어 있는 설계도가 있어야 '나 다운 집'이 완성될 수 있다.

그래서 미래 설계를 통해 내 인생이 어떻게 구성되면 좋을지 내 생각을 반영하는 것이다. 내 생각이 내 삶이 되고 내 미래가 된다. 지금 당신이 누리고 있는 것 자동차, 휴대폰, 간단한 가방이나 소품까지도 누군가의 생각에서 나온 것이다.

돈과 시간을 어떻게 쓰면서 목적을 하나씩 이뤄 나갈 것인지, 하고 싶은 것들을 어떤 방식으로 이루며 나아 갈 것 인지 계획하는 것이다.

하고 싶은 일 이루기

먼저 자신의 하고 싶은 일을 떠올려 보고 언제 하고 싶은 일인지 생각해 보자.

하고 싶은 일의 금액은 어느 정도 되는지 파악해 보자.

예) 생성형 AI 배우기 45만원

- 미래는 요즘 편의점 알바를 하고 있다. 그런데 미래도 편의점 알바 같은 단순 업무 말고 자신이 하고 싶은 일, 전문영역의 일을 하고 싶다. 평소 영화랑 게임을 좋아하는 미래는 여기에 나오는 특수효과 같은 걸 직접 만들어 보면 어떨까 하는 생각을 했다. 그래서 알아보니 요즘 생성형 AI로 다양한 효과를 게임, 영화뿐만 아니라 드라마에도 활용된다는 것을 알았다. 배우는데 약 45만원이면 될 것 같다. 3개월 후 바로 시작하고 싶다.

① 미래는 어떻게 해야 할까?

- 먼저 내일배움카드, 평생교육바우처 같은 정부 지원으로 배울 수 있는지 사회적 지원체계를 살펴봐야 한다. (사회적 지원체계가 정말 많으니 활용하자)

- 그런 지원이 없다면 3개월 후 45만원의 돈을 마련해야 한다.

② 내가 하고 싶은 일 돈 마련 방법

- 우리는 위에서 만족스러운 소비 항목과 불만족스러운 소비 항목에 대해 계속 살펴보았다. '하고 싶은 일 이루기'에서 핵심은 불만족스러운 소비 항목을 '어떻게 조정할 것인가' 이다. 다음의 예시를 참고해 내가 조정하고 싶은 불만족스러운 소비 항목은 무엇인지 생각하고 조정해 보자.

예) 미래가 3개월 후 필요한 45만원을 확보하려면 일단 소득이 월 15만원 이상 늘어나야 한다. 그렇지 않다면 현재 상황에서 월 15만원의 현금흐름이 좋아져야 한다.

미래 생각

"아 핸드폰 요금이 이렇게 많이 나오고 있었네. 평소 주로 와이파이 되는 곳에서 시간 보내니까 데이터 요금제를 조금 저렴하게 바꿔도 될 것 같은데…"

"요즘 살이 왜 이리 쪘냐… 역시 밤에 먹는 야식이 주범이었네. 밤에 야식을 조금 줄여봐야겠다. 귀찮아서 매번 그냥 배달시켰는데 배달비도 아깝고 하니 집에 들어올 때 시장에서 만들어 파는 반찬하고 햇반 좀 사 놔야겠다. 야식 일주일에 1번씩만 줄여야겠다"

"가끔 친구들하고 놀다가 지하철 끊기면 택시 타는데 지하철 끊기기 전에 헤어져야지 너무 아깝다 택시비"

그렇게 미래가 '불만족스러운 소비 항목'을 수정해 자신이 '하고 싶은 일 이루기' 위해 조정한 금액은 다음과 같다.

하고싶은 것	생성 AI 배우기	
시기	3개월 후	
필요금액	45만원	
필요한 저축금액	45만/3개월 = 월 15만원	
조정 (불만족소비 베스트3)	휴대폰요금	3만원
	야식비	10만원
	택시비	2만원

당장의 소득이 늘지 않더라도 불만족스러운 소비 항목 조정을 통해 하고 싶은 일을 할 수 있다. 내 돈이 나를 도와주는 설계를 하는 것이다.

하고싶은 것	태국 여행		휴대폰 교체	
시기	10개월 후		24개월 후	
필요금액	110만원		120만	
필요한 저축금액	110만/10개월 = 월 11만원		120만/24개월= 월5만원	
조정 (불만족소비 베스트3)	핸드폰요금	3만원	배달음식	3만원
	대형 마트	5만원	커피값	2만원
	보험	3만원		

불만족소비 조정 통하여 하고 싶은 일에 대한 돈 마련 방법 구상

하고싶은 것		
시기		
필요금액		
필요한 저축금액		
조정 (불만족소비 베스트3)		

자기 금융시스템(S.F.S) 구축하기 전 알아야 할 것

　우리는 지금까지 많은 것을 해냈다. 지출 항목들 일일이 파악하느라 애썼고 그 지출 항목에 대해 내가 왜 그렇게 쓰고 있었는지 파악하는 노력도 했다. 예전 어떤 기억이, 혹은 어떤 감정이 이런 소비를 이끌게 되었는지 파악도 했다.

이제 돈 관리가 편해지고 단순 해지려면 매월 이렇게 할 수는 없다. 자동으로 쉽게 관리가 돼야 마음이 편하다.

지금까지가 어려운 과정이었고 이제는 쉽다. 그냥 지금까지 했던 것을 정리만 하면 된다. 이제 나에게 최적화된 돈 관리를 위해 자기 금융시스템을 구축할 것이다. 자기금융시스템을 구축하는 이유는 다음 두 가지 이유 때문이다.

첫째, 돈 관리가 복잡하지 않고 간단해야 한다.

둘째, 나 답게 돈 쓰고 하고 싶은 일 이루며 살 수 있게 내 돈이 나를 돕게 해야 한다.

먼저 첫 번째 이유를 살펴보자.

우리의 소비 중 잘 살펴보면 반복적으로 매월 비슷하게 발생하는 소비가 있고 어쩌다 발생하는 소비가 있다. 그렇다. 어쩌다 발생하는 소비가 연지출이다. 그런데 월 소비 금액 중 연지출이 포함되어 있다면 어떨까?

이번 달에 부모님 생신이 있다거나 친구 결혼식이 있다거나 하면 어떤가? 갑자기 차고장이 났다면? 만약 미리 대비하지 않았다면 자연스럽게 신용카드로 비용 충당을 하게 될 것이다.

이런 상황이 반복되어 지다 보니 당연히 내 돈을 살펴보고 정리할 엄두가 안 난다. 살펴보면 뭔가 흉한 것 나올까봐 두렵다.

그래서 돈 관리가 쉬워지려면 월지출과 연지출이 분리되어야 한다!

월지출에 연지출이 끼어들지 않아야 매월 일정한 패턴의 지출이 되기 때문이다.

두 번째 이유에 대해 살펴보자. 자신의 소비 항목 중 소비 금액을 늘리고 싶은 항목이 있었다면 어떤 항목이었나? 월정기지출 항목에서 만족감을 느끼며 소비 금액을 더 늘리고 싶은 사람은 많지 않다. 휴대전화 요금을 내면서 "나 너무 좋아" 매월 내는 보험료를 보면서 "아 행복해" 하는 사람은 많지 않으니까

아마 여행? 자기 계발? 여가생활? 잘 살펴보면 대부분 연지출 항목에서 금액이나 횟수를 늘리고 싶었을 것이다. 아니면 월수시지출 항목 정도. 그런데 연지출 항목 중 미리 준비되어 있지 않아 항상 다음으로 미루지 않았던가? 아니면 신용 소비로 먼저 지출하고 나중에 갚아 나갔을 것이다. 그러면 그 돈을 갚아 나갈 때 여전히 기쁜가? 기분이 안 좋아서 양가죽 재킷을 카드 할부로 사고 나중에 매월 카드 명세서를 받아 볼 때 기분을 생각해 보자. 기쁠 것 같은가? 양가죽 재킷과 그것에 어울리는 하의가 진짜 내가 원하는 것이었나? 나한테 정말 필요한 것이었나? 내가 진짜 원하는 걸 하기 위해 미리 계획하고 정해 놓지 않았기 때문에 그때그때 드는 감정에 따른 소비로 정작 내가 원하는 것 하려고 할 때는 돈이 모자라서 못한다고 생각이 드는 것이다. 난 돈이 없어서 소비를 못 한다고 생각하니 오늘도 돈을 더 벌기 위해 방법을 찾아 헤매고 있다. 부업과 재테크가 나쁜 게 아니다. 필요하면 해야 한다.

하지만 진짜 내가 원하는 걸 설계하고 그걸 이루기 위해 하자. 남들이 하는 소비를 따라가기 위해 하지는 말자. 그리고 그 소비를 따라가기 위해 해왔던 '신용 소비'를 이제 그만하자. 미래의 소득을 오늘 써버리니 시간이 지나고 나면 빚만 남아있게 되는 것이다. 이 쓰고 갚고 쓰고 갚는 햄스터 쳇바퀴 같은 사이클을 바꿀 필요가 있다! 당신은 이제 더 이상 제자리에서 맴도는 인생으로 끝나버릴 사람이 아니다.

미리 계획 -> 돈 마련 -> 즐겁게 돈 쓰기 -> 만족 -> 하고 싶은 일 계획 -> 돈 마련 -> 즐겁게 돈 쓰기 -> 만족

이렇게 미리 계획해서 마련되어 있다면 즐겁게 돈 쓰고 갚을 금액이 없으니 성취감이 훨씬 높다. 무언가 성취했을 때 나오는 도파민이 분비되며 소비만족감을 높일 수 있다. 그리고 이건 아주 중요한데 바로 내 돈에 대해 통제감을 느낄 수 있다. 우리가 불안하고 우울한 건 내가 통제할 수 없는 상황이 펼쳐질 때 이거나, 그럴 것 같은 생각이 들 때이다.

이 소비에 대한 통제감이 소비효능감으로 발전되어 내가 한 소비에 대해 만족감을 갖게 된다. 그런 감정들이 나에게 안정감을 준다.

결국 감정이 좋아지면 내 삶은 좋아진다. 그런데 연지출을 위해 따로 돈 마련하는 게 쉽지 않아요… 라고 생각할 수 있다. 여기서 가만히 생각해 보자 연지출의 월 환산액 기억나는가?

매월 그 금액만큼 별도의 통장에 쌓인다면 어떨까? 그러면 내가(혹은 우리 가정)1년간 연지출로 소비하는 금액이 마련될 텐데! 그렇다! 그렇게 매월 조금씩 마련해 두면 미리 준비되기 때문에 준비된 통장에서 이벤트나 상황 발생 시 집행하기만 하면 된다. 하지만 아직 발목을 잡는 것이 있을 수 있다. 바로 신용 카드다! 현금으로 저축할 여력이 없을 수 있다. 인생에서 한번은 이 쳇바퀴 사이클을 잘라내야 한다. 모아 놓았던 예·적금이나 다른 자산을 활용해 먼저 카드 대금을 납입한다. 그 이후 끌려 다니는 이 지긋지긋한 쳇바퀴에서 내려오기 위해 카드를 자른다. 그런 시각적 효과는 정말 큰 효과가 있다. 체크카드도 신용점수는 쌓인다.

그렇게 하면 다시 시작할 수 있다. 거대 기업의 설계에 끌려 다니는 삶에서, 내가 이끌어 가는 삶의 시작점에 선 것이다.

자기금융시스템 (S.F.S) 구축 방법

우리가 <가정경제파악> 작성할 때 혹시 눈여겨 본 사람이 있다면 알 것이다.

지출 종류에 따라 모두 색이 다르다는 것을!

색깔별로 구분해 둔 이유가 있다. 일단 자기금융시스템을 만들기 위해선 계좌 3개 이상 필요하다.

이제 자기금융시스템을 구축해보자! 먼저 예산이라는 것을 어디선가 들어본 적이 있을 것이다. 정부의 기재부는 연말에 내년도 예산계획을 수립한다. 그리고 그에 따른 집행을 하는데 가끔 예산계획 보다 추경(예산보다 추가적인 지출계획)을 편성한다는 뉴스를 본 적이 있을 것이다. 어떨 때는 추가 세수가(추가적인 세금 수입) 들어와 예상보다 정부에 돈이 많이 들어왔다는 뉴스도 나온다. 그러면 국가 시스템이라는 것이 굉장히 잘 되어 있을 텐데 왜 그렇게 부족하거나 남거나 할까? 중요한 건 기준이기 때문이다. 예산은 말 그대로 기준이다. 기준을 잡고 그 기준에서 더 집행되었는지 덜 집행되었는지 판단하면 된다. 그리고 앞으로 어떻게 반영할 것인지 결정하면 된다.

그래서 이제 자신만의 기준을 정하고 '나 다운 돈쓰기' 단계로 가야 한다. 이 단계가 자기금융시스템 (S.F.S) 구축이다.
계좌는 어떤 계좌든 상관없다. 계좌의 성격을 파악하고 어울리는 계좌로 하면 된다. 중요한 점은 어떤 혜택보다 고유한 내 돈 관리 시스템 구축에 있다는 것이다. 명심하자! 혜택 쫓아 다니면 또 기업들의 마케팅 전략에 당한다는 것을!

월정기지출계좌

월정기지출은 주황색이다. 월정기지출을 담당할 A 계좌를 준비한다. 월정기지출의 특징은 매월 나가야 할 돈이 일정하고 정해진 날짜에 빠져나간다는 것이다.

자 그럼 월정기지출의 합계액을 확인해 보자.

예를 들어 당신의 월정기지출 합계액이 200만원이라면 이 A 계좌에서 200만원을 담당하면 된다. 즉, 월정기지출 계좌는 200만원이 확보되어 있다가 정해진 날짜에 알아서 빠져나가거나 내가 납입해야 될 날짜에 자동이체 설정하여 200만원이 0원이 되면 이 A계좌의 역할은 다한 것이다.

그래서 월정기지출 계좌로는 자동이체를 여러 군데 걸어 놓아도 수수료가 발생하지 않는 계좌가 좋다. 특히 지로로만 받는 사람 중에 납입 기한을 놓쳐 연체가산금까지 종종 내는 사람이 있는데 꼭! 이 월정기지출통장에서 자동이체설정 해두길 바란다. 자동이체 등록하면 일정 부분 할인도 받을 수 있다. 급여가(수입이) 들어오는 계좌를 따로 해야 한다면 급여 계좌에서 월정기지출계좌로 매월 정해진 날짜에 자동이체 설정을 걸어 200만원씩 자동으로 옮겨지게 하면 된다. 최대한 간단하게 운용하고 싶은 사람은 급여(수입) 계좌를 활용해도 된다. 급여가 들어오고 200만원을 남기고 나머지 다른 돈은 각각 앞으로 설명할 월수시지출계좌, 연지출계좌로 자동이체 설정하면 된다.

월수시지출계좌

월수시지출계좌는 내가 한 달 동안 활동하면서 소비하는 항목이 많다. 교통비, 식비, 여가비 등 내가 돌아다니면서 발생하는 소비 항목이다. 그래서 현금이면 가장 좋겠지만 그렇게 하면 너무 불편해 힘들것 같다면 체크카드를 이용하면 된다. 그리고 예전처럼 신용카드 많이 쓰고 잘 갚으면 신용점수가 올라가는 시대가 아니다. 수입에 비해 과도한 신용소비는 오히려 신용점수에 악영향을 준다.

체크카드를 연결할 계좌를 월수시지출계좌로 설정하면 된다. B 계좌를 준비해 월 수시 지출 금액 자동이체 설정을 해주자.
체크카드 중 소비할 때마다 페이백을 해주는 카드도 있고 특정 장소나 특정 브랜드의 할인율이 높은 카드도 있다. 자신의 소비 항목들 잘 살펴보고 정하면 된다. 다만, 다시 한번 강조하지만 혜택보다 중요한 것이 나만의 돈 관리 시스템 구축이다.

이 자기금융시스템(S.F.S.) 구축의 목적을 잊지 말자!

연지출계좌

연지출계좌는 돈이 계속 차곡차곡 쌓이는 계좌다. 특정 상황이나 이벤트 상황이 되면 돈이 나가게 되지만 평소에는 돈이 머무르는 계좌다. 그 특성에 맞게 계좌 선택을 해주면 된다. 그런 복잡한 것 싫고 심플하게 하고 싶다고 생각하는 사람은 그냥 가지고 있는 계좌 중 아무거나 선택해도 상관없다.

다만 증권사 CMA 계좌는 하루만 맡겨도 이자를 지급해 주기 때문에 장점이 있다. 연지출 계좌의 돈은 특정 사유가 발생하기 전까지 쌓여 있는 돈이기 때문에 이런 장점을 활용하는 것도 좋다. 증권사 계좌가 아직 없는 사람은 굳이 따로 만들려고 하지 마라. CMA 계좌 만들면서 복잡하고 머리 아프다고 하면서 불편한 감정이 쌓이는 것보다 보유한 계좌에서 해결하는 것이 훨씬 낫다. 돈 관리가 복잡하고 어렵다는 생각이 드는 것보다 심플한게 훨씬 낫다는 말이다.

잊지 말아야 할 것은 내 시스템 구축이 더 중요하다. 혜택 때문에 이 정도는 허용해도 괜찮겠지 하면서 기준이 흐트러지는 순간 자기금융시스템도 붕괴된다는 것을 잊지 말자! 2008년 세계적인 금융위기는 금융시스템의 붕괴 때문에 발생했다.

그럼 연지출의 월 환산액을 준비된 C 계좌로 매월 정해진 날짜에 자동이체를 설정해 두자. 그럼 차곡차곡 연지출을 위한 자금이 쌓이게 될 것이다.

□ 자기금융시스템(S.F.S)

수입항목	금액
	-
	-
	-
합계 (월)	-

통장 :	목적:	
지출항목	금액	비고
합계 (월)	-	

통장 :	목적:	
지출항목	금액	비고
합계 (월)	-	

통장 :	목적:	
지출항목	금액	비고
합계/12 (월)	-	

항목	금액
수입합계	-
지출합계	-
수지차	-

여기까지 모두 작성하고 잘 따라온 사람은 자신에게 박수를 쳐주자!! 상담을 진행할 땐 상담사가 도와주고 피드백도 해주면서 실행을 도와줄 수 있지만 책만 읽고 여기까지 오기는 쉽지 않았을 것이다.

이제 우리는 결산(머니맵 작성, 소비만족감 확인)도 했고 예산도(자기금융시스템 구축) 끝냈다.

이제 3개의 통장에 매월 설정해 놓은 자동이체가 세팅 되었다. 자동으로 각 통장으로 돈이 이동하면서 내 한 달 예산과 한 해 예산이 집행될 것이다. 월 소비 금액에 연지출이 끼어들지 않고 연지출 해당 항목은 연지출 계좌에서 집행하면 된다. 연지출용 체크카드를 만들어 카드로 결제해야 하는 경우 사용해도 된다.

월말 즈음에 친구와 약속이 잡혔는데 월수시지출 계좌에 잔액이 3만원 밖에 남지 않았다. 그런데 그 사실을 모르고 친구를 만나서 5만원 밥값을 계산하려고 카드를 내밀었더니 잔액 부족으로 결제가 안되었다. 아마 땅 파고 들어가고 싶은 심정일 것이다. 집에 가서 이불 킥 2만번 해야 할지도 모른다.

그래서 월수시지출 체크카드에는 앱 알림 설정을 해두거나 카드 사용 시 문자 알림 설정을 해두는 것이 좋다.

그러면 월 마지막 주 소비 계획은 예산 금액을 초과하지 않는 범위에서 조절할 수 있게 된다. 평소 마시는 커피를 조금 줄인다거나, 약속을 다음주로 변경 한다거나, 하면 충분히 조절이 가능하다.

여기서 포인트는 '아끼자' 가 아니다. '내 돈의 통제권을 잃지 말자' 이다. 내가 정한 셀프 규칙이 지켜지면 내 돈의 통제권을 내가 갖게 된다. 내 돈이 내 통제 아래 있다고 느낄 때 사람은 안정감을 느낀다.

시스템이 이미 구축되어 있으니 그 시스템, 즉 셀프 규칙을 잘 이어 나가면 된다. 놀랍게도 셀프 규칙을 잘 지키게 되면 답답하고 숨 막히는 게 아니라 내가 꽤 괜찮은 사람으로 여겨진다는 것이다. 내가 세운 계획, 내가 세운 목표를 하나씩 이뤄간다는 점에서 성취감이 쌓인다. 다시 말하면 그 성취감은 소비만족감과 소비 효능감을 생성한다. 그건 다시 소비자존감으로 이어지고 그렇게 나를 사랑할 수 있는 자아존중감을 확보해 나가는 것이다.

미래 설계 실습 (지금 이 순간이 과거가 된다)

먼저 전제해야 할 건 현재에서 시작하는 것이 아니라 미래 내가 이룬 모습에서 시작하는 것이다.

미래에서 내가 왔다고 생각해 보자. 미래에 이미 내가 원하는 어떠한 모습이 되어 있다면 현재 나는 어떤 과정을 거쳐 그 모습이 되는지 알고 있을 것이다. 그 과정을 설계하면 된다. 우리는 가끔 영화나 드라마에서 등장인물이 과거로 돌아가는 경우를 본다. 과거로 돌아가면 어떻게 행동하는가? 과거의 특정 순간에 잘못된 선택을 되돌리고 미래를 바꿔보려고 하지 않나? 바로 그거다. 지금 내가 미래에서 왔다고 생각하면 어떤 행동을 해야 할까? 어떤 과정을 거쳐야만 내가 원하는 이상적인 모습이 되는지 바로 알아차릴 수 있을 것이다.

이미 내가 바라는 모습이 존재한다면 어떨까? 그런데 내가 그걸 선택할 수도 있고 아닐 수도 있다면? 만약 내가 원하는 모습으로 길을 선택한다면 지금부터 현실은 그 과정이다. 이 과정의 길을 지나면 내가 원하는 모습에 다다른다. 그러면 이 과정을 기꺼이 받아들이고 그 과정을 묵묵히 해내면 된다. 그렇게 미래에서부터 시작된 내 모습이 현재가 되고 이 현재는 다시 과거를 만드는 것이다.

아인슈타인은 우리가 알고 있듯이 세계적인 물리학자이며 '상대성이론'의 창시자이다.
그는 이렇게 말했다.

"지식보다 중요한 것이 상상이다."
"과거의 시간이 현재가 되고 현재가 미래가 된다는 시간의 관념에 속지 마라."

아인슈타인은 상상이 미래를 인식하는 힘이라고 생각했다.
그 미래를 인식하고 그려 낼 수만 있다면 당신의 지금 모습은 그저 과정이다. 미래에서부터 출발한다면 미래에 이미 내가 원하는 완성된 모습에서 출발하는 것이기 때문에 지금은 어떤 과정을 거치면 되겠다고 생각하고 그저 실행하면 된다.

이제 내 미래를 상상하고 구체화해 보자 먼저 내가 되고 싶은 모습을 구상하고 구체화하는 것이 중요하다. 조용히 눈을 감고 원하는 모습을 떠올려 보자.

나를 감싸고 있는 공기, 내가 서 있는 장소, 주변 환경의 냄새와 소리, 당시 사람들의 표정과 말투, 명확하고 실제 하는 것처럼 상상하면 된다.

당신의 비전은 무엇인가?

우리는 기업이나 한 개인의 'VISION'에 대해 말하곤 한다. vision은 '보다'를 뜻하는 라틴어 video에서 유래되었다. view, visual과 같은 어원으로 모두 보이는 것, 시각적인 의미가 있다. 즉 vision은 선명하게 보는 것이다. 현재 눈에 보이는 것이 아닌 상상으로, 생각으로 선명하게 보이는 것이 vision이다. 그래서 구체적으로 떠올려 보는 것이 중요하다.

이 작업이 어떤 효과가 있는지 한 사람의 일화를 소개하겠다.

20대의 한 청년이 있었다. 이 청년은 아주 건강한 청년이었다. 철인

3종경기에 출전할 만큼 건강하고 체력도 좋았다. 청년은 경기중 자전거를 타고 열심히 결승점을 향해 가고 있었다. 그런데 난데없이 시속 90km로 달려오는 SUV 차량과 부딪혔다. 기적적으로 목숨은 건졌지만 척추가 여섯 군데나 부러졌다. 당시 유명한 의사들 여러 명을 찾아다녔지만 모두 척추에 철심을 박는 수술을 해야 그나마 걸을 수 있는 가능성이 생긴다고 했다. 그렇지 않으면 온몸이 마비될 것이라고 했다.

그는 인간의 뇌와 몸의 자연치유력을 믿어 보기로 했다. 건강한 척추로 재건되는 상상을 매일 했다. 다른 생각이 끼어들면 처음부터 다시 했다. 매일 건강하게 복원되는 척추를 상상하고 건강한 척추로 걸어 다니는 상상을 했다.

그렇게 9주 후에 어떠한 치료도 없이 그 청년은 일어나 걸었다.

<당신이 플라시보다> 저자 조 디스펜자의 실제 일화이다.

현재는 전 세계를 돌아다니며 세미나를 하고, 여러 과학자와 협력해 뇌 과학 연구를 하고 있다.

믿어지는가? 부러진 척추가 아무 의학적 도움 없이 정상인처럼 복구되었다는 사실이…

이 사건 이후 생각이 우리 뇌와 몸에 어떻게 영향을 미치는지 연구가 정말 활발히 진행되었다.

즉, 내 미래의 모습은 내가 상상하고 구상한 그 모습대로 될 수 있다. 심지어 신체 변화까지 말이다.

이미 과학적으로 여러 연구를 통해 밝혀지고 있다. 그러니 사람들이 말하는 가능성없다는 현실과 당신이 말하는 자기 파괴적인 독백은 이제 집어치워라! 더 이상 당신의 인생을 망치지 말고 미래에 이미 완성된 당신의 모습을 각인시키고 그 완성된 모습으로 가기 위한 과정을 설정하고 계획하라!

나는 뭘 하고 싶은가

다음의 예시를 보면서 내가 하고 싶은 활동을 나에게 맞게 떠올려 보자

요리배우기	블로그활동	내집마련	열기구타기	운전배우기
다이어트	밴드활동하기	자전거국내일주	자녀3명 낳아기르기	성지순례하기
어학연수가기	메이크업배우기	네일아트배우기	텃밭가꾸기	7성급호텔에서 아침 먹기
월드컵보러가기	1년에 천만원모으기	30세이전 결혼하기	휴대폰없이 100일 살기	대학진학
심리상담받기	1년에 책 100권읽기	인도배낭여행하기	마라톤완주하기	자동차구입
워킹홀리데이취업	연애하기	영어회화	프랑스에펠탑앞에서 사진찍기	취직하기
내집 디자인하기	평생직업10개갖기	스쿠버다이빙하기	운전배우기	100일동안 외식금지
한강수영해서 건너기	구호단체활동하기	동네일에 참여하기	한달간 중국여행하기	생활비벌기

어디까지나 예시니까 자신에게 집중해서 자신이 진짜 무엇에 관심
있는지, 뭘 할 때 기쁘거나 즐거운지, 무엇을 상상할 때 입가에
미소가 번지는지 천천히 생각해 보길 바란다.

상상하며 떠올릴 때 명사보다는 동사로 생각하는 게 좋다.
예를 들면 '선생님'보다는 가르치는 일을 하고 싶다. 나는
누군가에게 알려주고 설명해 주고 싶다. 이런 식으로 말이다.
그러면 꼭 선생님이 아니어도 가르치는 다양한 일 중에 접근이
가능하다. 그중 내 관심사나 평소 즐기는 것 중에서 가르치고
설명해 주는 게 가능해진다.

다음 한 사례를 보자.

필자는 아동양육시설에 방문해 자립을 위한 '돈 관리 기술' 교육과 금융상담을 진행한다. 많은 시설을 다니며 아동·청소년을 만나게 된다.

한 고등학교 1학년 여학생이 있었다. 내가 케이스를 접한 건 그 여학생이 중3 때였지만 직접 대면 상담을 진행한 건 고1때부터였다. 이 아이가 중학생 때는 시설 선생님들을 참 곤혹스럽게 했었다. '늘 죽고 싶다'고 말하며 짜증과 우울함이 반복되던 아이였다. 이유는 학교에서 왕따를 당해 학교 가기도 싫어하며 늘 자신이 배척당했다는 생각뿐이었다. 그러던 아이가 고등학생이 되어서는 조금 달라졌다. 일단 학교가 바뀌고 새로운 반 아이들이 생기면서 환경이 달라졌다. 진짜 변화가 생긴 이유는 이 아이가 친구들에게 메이크업 방법에 대해 알려주면서 시작되었다. 이 아이의 소비 항목 중 화장품 구매가 종종 있었다. 이 아이는 우울할 때, 불안이 가득한 시기일 때 메이크업 영상을 보며 따라했다. 그러니 또래의 다른 친구들보다 당연히 메이크업 노하우가 많이 쌓여 있었다. 고등학생이 되니 또래 여자아이들이 메이크업에 관심 갖는 친구들이 많아졌다. 그에 따라 이 아이가 나름의 노하우를 설명해

주고 이쁘게 메이크업도 해주었던 것이다. 그렇게 왕따에서 인싸가 되었다! 자신이 알고 있는 걸 알려주면서 사람들의 관심과 부러움을 받게 된 아이는 자신에 대한 사랑이 생겼다. 그로 인한 자신감이 생겨서 그런지 남자 친구도 생겼다.

이 아이가 화장품 살 때 시설 선생님들은 용돈을 허투루 쓴다고 생각하기도 했다. 처음 사다 보면 시행착오도 겪고 버리게 되는 화장품도 나오기도 한다. 그리고 화장하기에 어린 나이인데 저렇게 돈을 막 써도 되나? 하는 생각을 하셨던 것 같다. 시설에서는 최대한 돈을 안 쓰고 아끼는 것이 좋은 돈 관리 방식이라고 생각한다.

이 아이에게 화장품 소비 항목은 어떤 의미였을까? 자신을 더 빛나게 해줄 좋은 도구 아니었을까? 얼굴만 빛나는 것이 아니라 자신 내면을 빛나게 해주는 도구가 되었다. 남들이 부러워하는 존재가 되었다.

우리는 각자 그런 부분이 있다. 내가 관심 갖고 즐겨 하는 것, 남들보다 크게 노력하지 않아도 잘하고 있는 것. 그런 것들을 찾아보면 된다. 각기 다른 주변 사람 3명 이상이 "너는 이런 거 참

잘한다" 이런 말을 당신에게 한 적이 있나? 그건 다른 사람들이 당신을 부러워하는 부분이 있다는 것이다. 내가 미처 깨닫지 못했더라도 나는 그걸 남들보다 잘하고 있다는 것이다. 위 사례처럼 그런 부분을 떠올려 보고 미래 설계에 반영해 보자!

분명 당신은 남들과 다른 특별한 부분을 가지고 태어났다.
나의 평소 즐겨찾기 항목이나 여가시간에 하는 것들에서 찾을 수도 있다. 한 번쯤 유대인 자녀교육법 들어본 적 있을 것이다. 유대인 부모들은 하나님이 분명 이 아이에게 남과 다른 특별함을 주셨을 거라 믿는다. 그래서 남과 똑같이 되는 교육을 하지 않고 어떻게 하면 이 아이만의 고유성을 찾을 수 있고 발현시킬 수 있을지 교육적으로 접근한다. 그러니 이 아이가 남과 다른 독특함을 가질수록 교육 목표에 부합하는 것이다.

세계적인 영화감독 스티븐 스필버그의 어머니는 인터뷰에서 아들이 캠코더 들고 이것저것 찍으러 다닐 때 그냥 도시락을 싸줬을 뿐이라고 했다. 세계적인 감독으로 키우기 위해 뭘 한 것은 아니라는 인터뷰지만 아들이 남과 다른 행동을 하더라도 전혀 나무라지 않았다.

애플의 창업자 스티브 잡스 역시 당시 방 안 가득 채우는 컴퓨터를 개인용 컴퓨터로 개발하면 좋겠다는 아이디어를 가지고 집 차고에서 창업했다. 메타(페이스북) 창업자 마크 저커버그는 하버드에서 엉뚱한 얼굴 비교 평가하는 프로그램을 만들어 창업했다.

위 사례는 모두 유대인 사례다. 그 부모들이 일부 부모들처럼 쓸데없는데 에너지 쏟지 말고 공부나 하라고 했다면 역사에 획을 긋는 저런 창의력 넘치는 인재는 나오지 않았을 것이다. 그러니 남과 똑같지 않다고 해서 내가 잘못하는 건가 생각하지 말고 남과 다른 특별함을 찾아보도록 하자.

'하고 싶은 일' 몇 가지 항목이 정해졌다면 먼저 실습했던 '하고 싶은 일 이루기' 통해 계획을 세워 보자. 그리고 다음 <10년 미래 계획 시트>를 활용해 장기 계획도 반영해 보자.

<10년 미래계획 시트>

결과		현재	1년 후	2년 후	3년 후	4년 후	5년 후	6년 후	7년 후	8년 후	9년 후	10년 후
가족 나이	나											
	배우자											
	자녀1											
	자녀2											
	자녀3											

		현재	1년 후	2년 후	3년 후	4년 후	5년 후	6년 후	7년 후	8년 후	9년 후	10년 후
주요 문제	나											
	배우자											
	자녀1											
	자녀2											
	자녀3											
	자산변화											
	주거변화											

146

현재 연도에 맞게 나이를 쓰고 1년 후 2년 후… 이렇게 년도 변화에 맞게 나이도 올라가면 된다.

혹시 가족 구성원이 있다면 구성원의 나이도 그런 식으로 쓰면 된다. 가족 구성원이 나와있는 예시와 다르다면 그에 맞게 정정해서 사용하면 된다.

하늘색 칸에는 각 구성원의 상황변화나 다가올 상황에 대해 작성하면 된다. 학교 졸업, 새로운 공부 계획, 이직계획, 여행계획, 자격증 시험 등 특정시기에 발생할 내용이나 계획을 적으면 된다. 이런 내용 들을 각 나이와 연도에 써넣으면 된다.

그렇게 내 미래 설계를 반영한 10년의 구상을 만들어 보자 내 인생이 달라지는 나만의 미래 설계이다.

다음 7년 미래설계는 좀 더 구체적으로 작성해 볼 수 있다.

☐ 미래설계

하고싶은 일	목적				
	시기				
	금액				

년도		2024년	2025년	2026년	2027년	2028년	2029년	2030년	2031년
경과		현재	1년 후	2년 후	3년 후	4년 후	5년 후	6년 후	7년 후
가족 구성원	본인	세							
		세							
		세							
		세							
		세							
주요 일정사항	본인								
	0								
	0								
	0								
	0								
상황변화 예측	소득								
	지출								
	주거								
	저축								
	부채								

해야할 일	목적				
	시기				
	금액				

148

다 작성이 되었다면 이제 내 인생 바꾸는 미래 설계가 완성되었다. 현재 나의 재정 상태에서 시작해 내가 원하는 모습으로 나아가는 첫걸음 뗀 것을 축하한다. 소득이 적어도, 빚이 있어도 다 상관없다. 현재의 나를 있는 그대로 알아차리고 시작하면 된다. 모든 건 내 안의 감정에서 시작된다. 이렇게 시작하고 그 다음 자신이 원하는 방향과 방법이 맞는 전문가를 통해 소득 올리는 부업이나, 재테크 방법을 배우면 된다. 그래야 '나 다운 돈 쓰기'를 할 수 있다.

나도 자산관리 방법에 대해 많이 알려주고 정보제공 컨설팅을 해봤지만 궁극적으로 알아야 하는 것은 정보가 아니라 나 자신이다. 나를 먼저 알고 이해한 후 다른 것들을 시작하면 더 좋다. 이 글을 읽는 모두가 자신의 현재 모습을 이해하고 나 답게 돈 쓰며 자신의 인생을 눈부시게 만들어 가길 바란다.

자 그러면 이제 마무리다!
이제 내가 세운 계획과 방법들을 액션플랜으로 확정 짓자!
이 액션플랜은 내가 정한 계획의 시작을 명시하는 게 핵심이다.
마음만 먹고 시작을 못 하는 경우가 대부분일 것이다.

그래서 시작일을 명시하고 계획과 그 계획을 이루는 방법을 기록으로 써두는 것이다. 모두 알겠지만 내 생각은 시간이 지나면 사라진다. 하지만 기록은 남는다. 그 기록을 반복적으로 보면서 뇌에 새기는 과정이 내 생각을 만들고 그 생각이 감정을 만들 것이다. 그 감정이 분명 당신의 태도나 행동을 활기차고 생기 있게 만들 것이다. 그러면 된다. 그러면 당신의 환경이 바뀌는 걸 느낄 것이다.

같은 생각이 같은 선택을 이끈다.
같은 선택이 같은 행동을 이끈다.
같은 행동이 같은 경험을 창조한다.
같은 경험이 같은 감정을 생산한다.
같은 감정이 또다시 같은 생각을 부른다.
같은 생각을 하고 같은 행위를 하고 같은 감정으로 살기 때문에 삶이 바뀌게 해달라고 몰래 빌어봤자 뇌도 몸도 변하지 않는다.

조디스펜자의 <당신이 플라시보다> 내용 중 일부 발췌

□ Action Plan

Action Plan 작성 예시

액션 플랜 상단에 큰 제목 :

- ☺ 나에게 선물하는 유럽여행 프로젝트
- 빌리지 않고 빌려주는 삶을 위한 인생 대전환 플랜
- 3년안에 부채 00원 청산 후 동남아 여행가기!

1. 자기금융시스템설정 :

월정기지출통장-A 은행 , 월수시지출통장- B 은행 , 연지출통장-C 은행

"0월 00일 매월 월수시지출 통장 B 은행으로 00만원 자동이체 설정 한다"

"0월 00일 매월 0일 OO적금으로 자동이체 설정"

이런 방식으로 큰 제목 아래 자신이 정한 자기금융시스템을 실행할 날짜까지 적으며 확실히 명시하면 된다.

2. 이후 설정한 재무 목표를 적으며 목표한 날짜를 같이 적는다. 그리고 실행 시작일도 명시한다.

예) 0월 0일 유럽여행 적금 가입 (12개월)

　　0월 0일 치괴치료를 위한 적금 가입(6개월)

　　0월 0일 OO재단 기부 시작

셀프 행동 규칙 예시

- 　야식은 일주일에 한 번 시켜먹는다.

- 　커피는 집에서 나갈 때 텀블러에 챙겨간다.

- 　지난 1년 안에 입지 않은 옷들은 따로 빼서 정리한다.

- 　아침에 일어나면 10분간 운동 한다

- 　자기 전 일기를 쓴다.

- 　기부와 나눔을 실천한다.

이렇게 순차적으로 자신이 정한 셀프 규칙과 자기금융시스템 내용을 실행일시 포함하여 적어내려 가면 된다.

3. 월정기지출 정리

월정기지출 정리 하는게 지출 정리에서는 제일 효과가 높다.

한번 결정하면 매월 반복적으로 같은 패턴으로 지출되기 때문이다.

인간은 '현상유지편향'을 갖고 있어 익숙한 것을 바꾸는 것이

어렵다. 즉 귀차니즘으로 새롭게 적용하는게 쉽지 않다. 반대로 생각해보면 한번만 효율적이고 실용적인 월정기지출 결정을 하고 나면 그 이후로는 신경쓰지 않아도 잘 돌아간다는 것이다.

예) 0월 0일 보험 조정후 자동이체 A 통장 설정

0월 0일 휴대폰 요금제 변경 후 자동이체 A 통장 설정

이렇게 자신이 조정하고 싶은 항목의 월정기지출 내용을 명시하고 실행 날짜를 적으면 된다.

에필로그:

지금 최악이어도 시작하기 좋은 이유

저는 제 인생의 중요한 시기중 3-4년을 과거의 내 선택에 대한 후회, 다른 사람에 대한 원망, 자기연민, 현실에 대한 핑계를 일삼고 살았습니다. 믿었던 친구의 말을 듣고 투자를 하고, 친구가 투자 실패하고 위기 겪을 때 차용증을 대신 써주는 바람에 구경도 못한 돈을 빚으로 떠 안게 되었습니다. 그 뒤 친구는 사라지고 채권자들에게 저만 시달리는 상황이 되었습니다. 금전적 충격도 컸지만 믿었던 친구이기에 인간에 대한 배신과 두려움, 냉소가 가장 컸습니다.

인생 중 가장 큰 위기였고 절망의 감정이 내 삶을 지배하고 있던 때였습니다. 그런데 돌아보니 상황이 나를 힘들게 하는것이 아니었다는걸 깨달았습니다. 내 마음 상태가 나를 힘들게 하고 있었다는걸 나중에 깨달았습니다. 내 상황은 내가 허락하지 않는한 나한테 영향을 미치지 못합니다.

안 좋은 일이 발생하였을 때 '그게 뭐 어때서' 라고 나 자신에게 영향을 줄 수 없게 차단한다면, 그렇게 하기로 내가 결정한다면 최소한 영향을 작게 라도 할 수 있습니다. 내가 허락할 때만 나에게 영향을 미친다는 것은 그런 의미입니다. 물론 상황이 너무 어려우면 안 좋은 감정에 쉽게 휩싸이게 되는건 맞습니다. 하지만 상황이 안 좋다고 좋은 일, 기쁜 일이 전혀 없는 것은 아닙니다. 다만 그 좋은 일, 기쁜 일이 좋은 감정으로 느껴지지 못할 뿐입니다. 그래서 감정과 심리 상태가 중요하고, 그러한 것들을 관리하는 것이 중요합니다. 그리고 앞으로 좋아질 것이라 기대하고 뭔가 일 하는 사람은 주변에서도 같이 일 하고 싶어 합니다. 그런데 늘 얼굴이 어둡고 우울해 보이는 사람에게는 일을 맡기기 힘듭니다. 그러면 당연히 기회는 줄어드는 것입니다. 좋아질 것이라 기대하는 사람은 다양한 시도를 합니다. 그러나 이미 포기한 사람은 시도조차 안 합니다. 당연히 기회 창출이 훨씬 적을 수밖에 없습니다.

우리는 돈 3만원으로 어떻게 내가 좋은 감정을 느끼게 할 수 있는지 실행해 봤습니다. 그렇게 내가 기쁠 수 있는 일, 뿌듯할 수 있는 일 등 하나하나 내 삶을 도와줄 돈 쓰기 계획을 하고 그걸 성취해 나가다 보면 그 작은 성취 하나 하나가 쌓여 좋은 감정을 만들고 그 감정들이 행복감으로 이어 질 수 있습니다. 나눔을 실천할 때 내가 더 행복해지고 일이 잘 풀리는 이 우주안에 작용하는 시스템이 있습니다.

이 책을 읽은 분들 중 실수와 실패로, 특히 돈 때문에 많이 아프고 힘든 사람들이 있다면 조금이나마 도움이 되고 다시 일어설 수 있기를 바라는 마음으로 글을 썼습니다.

누구나 실수와 실패는 합니다. 하지만 그 실수와 실패를 바라보는 관점이 성장을 이끌어내느냐, 포기한 인생이 되느냐 결정합니다. 여기서 멈추길 바라지 않는다면 그리고 더 나아가 내가 원하는 삶을 살고 싶은 강한 열망이 있다면 시도하세요.

조금 한가해지면 해야지… 컨디션이 조금 나아지면 해야지… 지금은 상황이 복잡 하니까 이 복잡한 상황만 지나가면 시작해야지…

그런 날은 안 옵니다.

내가 생각하는 최상의 날은 안 옵니다.

그냥 지금 상황에서 시작하는 겁니다. 그냥 한번 시작해보세요. 그리고 결과를 보며 대응하시면 됩니다. 그러면 신기하게 내가 원하는 방향으로 인생이 바뀌기 시작할 겁니다. 신기하게 내가 생각하는 방향의 같은 생각을 하는 사람들을 만나게 되고, 일이 진행될 상황이 펼쳐지고, 기회가 창출 됩니다.

당신의 행동이 당신을 규정합니다. 다른 사람들은 당신의 행동과 태도를 보고 당신을 규정합니다. 당신이 되고자 하는 사람으로 생각하고 행동만 해도 이제 다른 사람들은 당신이 되고자 하는 그런 사람으로 봅니다. 그러면 상황이 바뀌기 시작합니다. 기회가 어느덧 찾아오기 시작합니다.

이제 그냥 시작하세요!

당신은 분명 원하는 삶을 살게 될 겁니다.

당신 내면이 간절히 원하고 있으니까요.